Bliskość

Bliskość

Zaufaj sobie i innym

OSHO

NOWA JAKOŚĆ ŻYCIA

Przełożyła Bogusława Jurkevich

Wydawnictwo Czarna Owca
Warszawa 2013

Tytuł oryginału
Intimacy. Trusting Oneself and the Other

Redakcja
Bogusława Jurkevich

Korekta
Ewa Jastrun, Jolanta Ogonowska

Projekt okładki
Magda Kuc

Ilustracja na okładce pochodzi ze zbioru prac autora
Copyright: OSHO Art by OSHO © Osho International Foundation – OSHOArt.osho.com

Skład i łamanie: Magda Stefańczuk, www.nhdesign.pl

Wydanie II zmienione

Druk i oprawa
Grafmar, Kolbuszowa Dolna
Wydrukowano na papierze Ecco Book Cream, 80 g, vol. 2
dystrybuowanym przez antalis | map

ISBN 978-83-7554-696-5

Wydawnictwo

CZARNA OWCA

ul. Alzacka 15a, 03-972 Warszawa
e-mail: wydawnictwo@czarnaowca.pl
Dział handlowy: tel. (22) 616 29 36
Księgarnia: tel. (22) 616 12 72

Zapraszamy do naszego sklepu internetowego:
www.czarnaowca.pl

Spis treści

PRZEDMOWA

Wejście w kontakt intymny zbliża cię do nieznajomego. Zmusza cię do odrzucenia linii obrony,
gdyż jedynie wtedy możliwa jest bliskość. Wychowaliśmy się w chorym społeczeństwie, pełnym represji, zakazów i tabu, dlatego wszyscy
ukrywamy tysiące rzeczy, nie tylko przed innymi, ale także przed samymi sobą.

Każdy boi się bliskości – to, czy jesteś tego świadomy, czy nie,
to oczywiście inna sprawa. Bliskość to odsłonięcie się przed
kimś nieznajomym – a przecież wszyscy jesteśmy dla siebie
obcy; nikt nikogo nie zna. Jesteśmy obcy nawet dla samych
siebie, ponieważ nie wiemy, kim naprawdę jesteśmy.

Wejście w kontakt intymny zbliża cię do nieznajomego.
Zmusza cię do odrzucenia linii obrony, gdyż jedynie wtedy
możliwa jest bliskość. Strach wynika z tego, że nie wiesz, co
ten obcy człowiek ci zrobi, gdy przestaniesz się bronić, gdy odrzucisz swoje maski. Wychowaliśmy się w chorym społeczeństwie, pełnym represji, zakazów i tabu, dlatego wszyscy ukry-

wamy tysiące rzeczy, nie tylko przed innymi, ale także przed samymi sobą. Strach podszeptuje, że wobec obcej osoby – i nie ma znaczenia, czy żyjecie ze sobą trzydzieści, czy czterdzieści lat, bo obcość nigdy nie znika – bezpieczniej jest zachować ostrożność, dystans, ponieważ ta osoba mogłaby wykorzystać twoje słabości i wrażliwość.

Wszyscy boją się bliskości

Problem jest skomplikowany, ponieważ wszyscy pragną bliskości. Wszyscy jej łakną, bez niej jest się we wszechświecie osamotnionym – bez przyjaciół, bez kochanka, bez osoby, której można zaufać, bez kogoś, komu można pokazać wszystkie swoje rany. A rany nie wygoją się, dopóki nie zostaną otwarte. Im bardziej je ukrywasz, tym bardziej groźne się stają. Mogą zamienić się w raka.

Z jednej strony bliskość jest podstawową potrzebą, każdy jej pragnie. Chcesz, aby druga osoba była ci bliska, żeby przestała się bronić, stała się wrażliwa, pokazała swoje rany, odrzuciła maski i fałszywą osobowość, żeby pokazała ci się taką, jaką jest. A z drugiej strony, boisz się zażyłości – chcesz być blisko drugiej osoby, ale bez konieczności odrzucenia swojego systemu obronnego. Taki konflikt panuje między przyjaciółmi i kochankami: nikt nie chce się rozbroić, nikt nie chce się obnażyć, nikt nie chce się otworzyć, a jednocześnie wszyscy chcą bliskości.

Dopóki nie pozbędziesz się narzuconych na ciebie represji i zakazów – które są „darami" od religii, kultury, społeczeństwa, od twoich rodziców, od nauczycieli – nigdy nie wytworzysz bliskości z drugą osobą. To ty musisz przejąć inicjatywę.

Jeśli nie ma w tobie poczucia osaczenia czy ograniczeń, to nie ma również ran. Jeśli prowadziłeś proste, naturalne życie, nie będziesz bał się bliskości, będziesz za to przepełniony radością z tego, że dwa zbliżające się do siebie płomienie, prawie idealnie łączą się w jeden. Takie spotkanie niesie niezwykłe zadowolenie, satysfakcję i spełnienie. Ale zanim będziesz w stanie osiągnąć bliskość, musisz całkowicie oczyścić swój dom.

Tylko osoba medytująca może odważyć się na bliskość. Ona nie ma niczego do ukrycia. Odrzuciła wszystko, co mogłaby chcieć ukryć przed drugą osobą. Jej serce jest ciche i pełne miłości.

Musisz całkowicie zaakceptować siebie. Dopóki tego nie zrobisz, nikt inny cię nie zaakceptuje. Ale zawsze wszyscy cię potępiali i nauczyłeś się tylko jednej rzeczy: samopotępienia. Starasz się to ukryć; nie jest to coś pięknego, co chciałbyś pokazać innym. Wiesz, że przepełniają cię rzeczy brzydkie, że ukrywają się w tobie rzeczy złe, że chowa się w tobie zwierzęcość. Dopóki nie zmienisz swojego podejścia i nie zaakceptujesz siebie jako jednego ze zwierząt w egzystencji...

> **Prawda jest taka, że egzystencja nie zna przewagi i niższości. Egzystencja akceptuje wszystko takim, jakie jest; niczego nie potępia.**

Słowo zwierzę (po angielsku „animal" – przyp. tłum.) nie jest złe. Oznacza po prostu bycie żywym; pochodzi od słowa *anima* (łac.: wiatr, dusza, istota żywa – przyp. tłum.). Ten, kto jest żywy, jest zwierzęciem. Ale ludzi nauczono: „Nie jesteście zwierzętami; zwierzęta są od was dużo gorsze. Wy jesteście ludźmi". Wykreowano sztuczne poczucie wyższości. Prawda jest taka, że egzystencja nie zna przewagi i niższości. Dla niej wszystko jest równe: drzewa, ptaki, zwierzęta, ludzie. Egzystencja akceptuje wszystko takim, jakie jest; niczego nie potępia.

> **Żyjemy w kłamstwie i hipokryzji – dlatego bliskość wywołuje w nas strach. Nie jesteś taki, jaki wydajesz się być. Twój wygląd jest sztuczny. Możesz wyglądać jak święty, ale w głębi duszy nadal jesteś słabą ludzką istotą, ze wszystkimi ludzkimi pragnieniami i tęsknotami.**

Jeżeli bezwarunkowo zaakceptujesz swoją seksualność, jeżeli zaakceptujesz to, że człowiek jest kruchy tak samo jak każda inna żyjąca istota, że życie jest cienką nicią, którą łatwo przerwać... Kiedy to zaakceptujesz i odrzucisz fałszywe ego – bycia Aleksandrem Wielkim, po trzykroć wspaniałym Mohamedem Ali – zrozumiesz, że człowiek jest piękny dzięki swojej zwyczajności i każdy ma jakieś słabości; są one częścią ludzkiej natury, ponieważ nie zrobiono nas ze stali. Nasze ciała są delikatne. Ich temperatura waha się między 98 a 110 stopni (w skali Fahrenheita, co odpowiada temperaturze między 36 a 42 stopni w skali Celsjusza – przyp. tłum.), różnica to zaledwie dwanaście stopni. Jeśli spadnie poniżej normy, będziesz martwy; przekroczysz górną granicę i również będziesz martwy. Dotyczy to również tysiąca innych rzeczy w tobie. Jedna z największych potrzeb człowieka to czuć się potrzebnym, kochanym, akceptowanym. Ale nikt nie chce się do tego przyznać.

Żyjemy w kłamstwie i hipokryzji – dlatego bliskość wywołuje w nas strach. Nie jesteś taki, jaki wydajesz się być. Twój wygląd jest sztuczny. Możesz wyglądać jak święty, ale w głębi duszy nadal jesteś słabą ludzką istotą, ze wszystkimi ludzkimi pragnieniami i tęsknotami.

Pierwszy krok to całkowite zaakceptowanie siebie – wbrew narzuconym opiniom, które doprowadziły ludzkość na skraj obłędu. Gdy zaakceptujesz siebie takim, jaki naprawdę jesteś, strach przed bliskością zniknie. Nie będziesz mógł stracić czyjegoś szacunku ani własnej wspaniałości, ani ego. Nie będziesz mógł stracić pobożności czy świętości – sam bowiem już to wszystko odrzuciłeś. Staniesz się całkowicie niewinny, jak małe dziecko. Będziesz mógł otworzyć się na innych, nie będą wypełniać cię perwersje, gdyż ich przyczynę stanowi wyparcie. Będziesz mógł mówić to, co czujesz autentycznie i szczerze. I jeśli będziesz gotów na bliskość, pomożesz drugiej osobie odważyć się na nią. Twoja otwartość pomoże twojemu partnerowi otworzyć się w stosunku do ciebie. Twoja niezakłamana prostolinijność pozwoli drugiej osobie doświadczyć prostoty, niewinności, zaufania, miłości, otwartości.

Jesteś zniewolony przez fałszywe opinie, a to wytwarza strach, że jeśli bardzo się do kogoś zbliżysz, ta osoba dowie się o tym. Jesteśmy kruchymi istotami – najdelikatniejszymi pośród całej egzystencji. Ludzkie dziecko jest najbardziej niezaradnym dzieckiem spośród wszystkich zwierząt. Potomstwo zwierząt może przetrwać bez matki, bez ojca, bez rodziny, ale ludzkie dziecko umarłoby od razu. Kruchość nie jest czymś, co należy potępiać – to najwyższy wyraz świadomości. Kwiat róży będzie kruchy; nie jest kamieniem. I nie ma powodu, aby czuć się źle, że przypominasz kwiat róży, a nie kamień.

> I jeśli będziesz gotów na bliskość, pomożesz drugiej osobie odważyć się na nią. Twoja niezakłamana prostolinijność pozwoli drugiej osobie doświadczyć prostoty, niewinności, zaufania, miłości, otwartości.

Dwie osoby przestają być dla siebie obce tylko wtedy, gdy wytworzą między sobą bliskość. Odkrycie, że nie tylko ciebie przepełniają słabości, ale drugą osobę również – być może nawet każdy człowiek ma wiele słabości – to wspaniałe odkrycie. Im wyższy jest poziom, na którym czegoś doświadczamy, tym nasze doświadczenie staje się delikatniejsze. Korzenie są bardzo silne, ale kwiat – wręcz przeciwnie. Na tym polega jego piękno. Rankiem rozchyla swoje płatki, aby powitać słońce, cały dzień tańczy na wietrze, w deszczu, w słońcu, a wieczorem jego płatki odpadają; kwiat znika.

Wszystko, co piękne i cenne, trwa tylko chwilę. Ty chcesz, żeby trwało wiecznie. Kochasz kogoś i składasz mu obietnicę: „Będę cię kochał do końca życia". Doskonale wiesz, że nie możesz być pewien nawet tego, co wydarzy się jutro – obietnica jest fałszywa. Mógłbyś powiedzieć: „W tej chwili jestem w tobie zakochany i oddam ci całego siebie. Nie wiem nic o kolejnej chwili. Jak mógłbym coś obiecywać? Wybacz mi".

Ale kochankowie obiecują sobie dużo rzeczy, których następnie nie mogą spełnić. W konsekwencji pojawia się frustracja; narasta dystans; dochodzi do walki, konfliktów, przepychanek i życie, które miało być piękne, zamienia się w tęsknotę i nieszczęście.

Gdy uświadomisz sobie, że obawiasz się bliskości, może okazać się to dla ciebie wielkim odkryciem. Jeśli tylko wejrzysz w głąb siebie, odrzucisz wszystko, co cię krępuje i zaakceptujesz swoją naturę taką, jaka ona jest, a nie taką, jaka być powinna – może dokonać się w tobie prawdziwa rewolucja. Nie nauczam żadnych „powinności". „Powinieneś" sprawia, że ludzki umysł zaczyna chorować. Ludzie muszą nauczyć się piękna tego, co jest, niezwykłego splendoru natury. Drzewa nie znają Dziesięciu Przykazań, ptaki nie znają Pisma Świętego. Jedynie człowiek obarczył się takimi problemami. Potępiając swoją naturę, rozpadasz się, stajesz się schizofrenikiem.

Dotyczy to nie tylko zwyczajnych ludzi, ale także ludzi pokroju Zygmunta Freuda, który przyczynił się do lepszego zrozumienia umysłu. Opracowaną przez niego metodą była psychoanaliza, uświadomienie sobie tego, co w tobie nieświadome. A oto cały sekret: kiedy to, co nieświadome, sprowadzone zostanie do świadomości, wyparuje. Staniesz się czysty i lekki. Im więcej tego, co nieświadome uwalniasz, tym większa staje się twoja świadomość. Gdy obszar nieświadomości się zmniejsza, powiększa się świadomość.

Oto wspaniała prawda. Na Wschodzie znają ją od tysięcy lat, Zachodowi przedstawił ją Zygmunt Freud – nie wiedząc nic o Wschodzie i jego psychologii. Była to metoda wymyślona przez niego. Zdziwi cię jednak fakt, że sam Freud nigdy nie zgodził się, aby poddano go psychoanalizie. Twórca psychoanalizy nigdy nie został poddany psychoanalizie. Jego współpracownicy nieustannie nalegali: „Podałeś nam metodę i wszyscy przeszliśmy psychoanalizę. Dlaczego sam uparcie odmawiasz poddaniu się jej?".

Odpowiedział: „Zapomnijcie o tym". Bał się odsłonić. Stał się geniuszem i pokazanie prawdziwego siebie, ponownie sprowadziłoby go do pozycji zwykłego człowieka. Miał te same lęki co inni, te same pragnienia, te same ograniczenia. Nigdy nie mówił o swoich snach, słuchał tylko o snach innych. Jego współpracownicy byli ogromnie zaskoczeni: „Znajomość twoich snów bardzo dużo by wniosła". Ale on nigdy nie zgodził się położyć na kozetce i opowiadać o swoich snach, ponieważ były one zwyczajne, jak sny każdego innego człowieka – tego właśnie dotyczyła jego największa obawa.

Gautama Budda nie obawiałby się zagłębić w medytacji – specjalny rodzaj medytacji był tym, co podarował światu.

Nie bałby się psychoanalizy, ponieważ u osoby, która medytuje, stopniowo zanikają sny. W czasie dnia jej umysł pozostaje cichy, a nie, jak to zwykle bywa, przepełniony natłokiem myśli. W nocy śpi głęboko, ponieważ sny to nic więcej jak nieprzeżyte myśli, nieprzeżyte pragnienia, nieprzeżyte tęsknoty z całego dnia. Próbują spełnić się przynajmniej we śnie.

Trudno będzie ci znaleźć mężczyznę, który śni o własnej żonie, czy kobietę, która śni o swoim mężu. Ale bardzo powszechne jest to, że śnią oni o żonach czy mężach sąsiadów. Żona jest dostępna; mąż nie ma niedozwolonych pragnień, które dotyczyłyby jego żony. Ale żona sąsiada zawsze jest piękniejsza, trawa po drugiej stronie ogrodzenia zawsze wydaje się być bardziej zielona. Nieosiągalne powoduje pragnienie osiągnięcia go, zdobycia. W dzień jest to niemożliwe, ale przynajmniej w nocy jesteś wolny. Wolność śnienia nie została jeszcze odebrana przez rząd.

Ale to nie potrwa długo – niedługo i ona zostanie ci odebrana, ponieważ dostępne są już metody pozwalające stwierdzić, kiedy śnisz, a kiedy nie. Jest szansa, że któregoś dnia odkryty zostanie sposób na projekcję snów na ekranie. Trzeba będzie tylko wszczepić do twojej głowy jakieś elektrody. Będziesz mocno spał, radośnie śnił, we śnie kochał się z żoną sąsiada, a cała sala będzie to oglądać. A wszystkim się wydawało, że ten człowiek jest święty!

Momenty, kiedy pojawiają się sny, można już teraz z łatwością rozpoznać: gdy ktoś śpi, pod jego powiekami poruszają się gałki oczne; jeśli się nie poruszają, to ta osoba nie śni.

Można wyświetlać twoje sny na ekranie. Można również narzucić ci określone sny. Żadna konstytucja w naszych czasach nie gwarantuje tego, że: „Ludzie mają wolność śnienia; to ich prawo nadane przy narodzinach".

Gautama Budda nie śnił. Medytacja to sposób na wyjście poza rozum. Żył w całkowitej ciszy przez dwadzieścia cztery godziny na dobę – bez zmarszczek na jeziorze świadomości, bez myśli, bez marzeń.

Ale Zygmunta Freuda przepełniał strach, ponieważ znał swoje sny.

Słyszałem pewną historię. Trzech wspaniałych rosyjskich pisarzy – Czechow, Gorki i Tołstoj – siedzieli na ławce w parku i plotkowali; byli bliskimi przyjaciółmi. Wszyscy byli geniuszami, wszyscy napisali tak wspaniałe powieści, że nawet dzisiaj, gdyby wybierano dziesięć najlepszych powieści wszech czasów, co najmniej pięć byłoby napisanych przez pisarzy rosyjskich sprzed okresu rewolucji.

Czechow opowiadał o kobietach swojego życia, Gorki przyłączył się i również dodał parę szczegółów. Ale Tołstoj nie mówił nic. Był on bardzo ortodoksyjnym, religijnym chrześcijaninem. Zaskoczy was zapewne, gdy dowiecie się, że Mahatma Gandhi zaakceptował jako swoich mistrzów trzy osoby, a jedną z nich był właśnie Tołstoj.

Tołstoj praktykował pełną samokontrolę. Był jednym z najbogatszych ludzi w Rosji – należał do arystokracji – ale żył jak biedny żebrak, ponieważ przeczytał w Biblii: „Błogosławieni biedni, bo do nich należy Królestwo Niebieskie", a on nie chciał z niego zrezygnować. To nie prostota i wyzbycie się pragnień – ale ogromna żądza. Wielka chciwość. Dążenie do zdobycia władzy. Poświęcił swoje życie doczesne i jego radości, ponieważ jest to coś mało znaczącego. Dzięki temu poświęceniu całą wieczność cieszyć się będzie rajem i Królestwem Bożym. To dobry interes – trochę jak loteria, z tym że wygrana jest pewna.

Tołstoj prowadził życie w ścisłym celibacie, przestrzegał diety wegetariańskiej. Był niemal świętym! Oczywiście jego sny i myśli musiały być paskudne. Kiedy Czechow i Gorki zapytali go: „Tołstoj, dlaczego milczysz? Powiedz coś!", odpowiedział: „Nie mogę powiedzieć niczego o kobiecie. Powiem dopiero wtedy, gdy jedną nogą będę w grobie. Powiem i wskoczę do grobu".

Łatwo możesz zrozumieć dlaczego tak bardzo bał się cokolwiek powiedzieć; gotowało się to w nim. Nie można być blisko z człowiekiem takim jak Tołstoj...

Bliskość oznacza po prostu otwarte drzwi serca; możesz wejść do środka i rozgościć się. Ale jest to możliwe tylko wtedy, gdy twoje serce nie śmierdzi stłumioną seksualnością, gdy nie wrą w nim perwersje, gdy jest naturalne. Naturalne jak drzewo, niewinne jak dziecko – wtedy nie ma strachu przed bliskością.

Oto co próbuję zrobić: pomóc ci uwolnić twoją podświadomość, uwolnić twój umysł, pomóc ci stać się kimś zwyczajnym. Nie ma nic piękniejszego niż bycie prostym i zwyczajnym. Wtedy możesz mieć wielu bliskich przyjaciół, naprawdę wiele bliskich relacji z innymi ludźmi, ponieważ nie boisz się niczego. Stajesz się otwartą księgą, którą każdy może przeczytać. Nie masz nic do ukrycia.

Każdego roku klub łowiecki udawał się na wzgórza Montany. Członkowie ciągnęli słomki, aby zadecydować, kto będzie zajmował się gotowaniem, i ustalali, że osoba niezadowolona z jedzenia automatycznie zastąpi pechowego kucharza.

Po kilku dniach, zdając sobie sprawę, że nikt nie zaryzykuje wyrażenia opinii na głos, Sanderson, któremu znudziło się gotowanie, zdecydował się na desperacki plan. Znalazł kupę łosia i dodał dwie garści do wieczornego posiłku. Po kilku kęsach u myśliwych zgromadzonych wokół ogniska pojawiły się na twarzach grymasy, ale nikt nic nie powiedział. W końcu

jednak jeden z myśliwych przerwał ciszę. „Hej! – wykrzyknął
– to smakuje jak gówno łosia, ale jest całkiem niezłe!".

Masz tak wiele twarzy. Wewnątrz myślisz jedno; na zewnątrz
wyrażasz coś innego. Nie jesteś organiczną jednością.

> **Mów tylko to, co myślisz. To krótkie życie i nie
> powinieneś go tracić na rozmyślania o konse-
> kwencjach.**

Zrelaksuj się i zlikwiduj rozłam, który wytworzyło w tobie
społeczeństwo. Mów tylko to, co myślisz. Zachowuj się w zgodzie ze swoją spontanicznością, nie przejmuj się konsekwen-
cjami. To krótkie życie i nie powinieneś go tracić na rozmyślania o konsekwencjach.

Człowiek powinien żyć pełnią, intensywnie, radośnie. Być
jak otwarta księga – dostępny do przeczytania dla każdego.
Oczywiście nie zapiszesz się w księgach historycznych, ale jaki
miałoby to sens?

> **Na Ziemi żyły już miliony ludzi, a nie znamy na-
> wet ich imion. Zaakceptuj to – jesteś tu tylko na
> kilka dni, a potem odejdziesz. Tych kilku dni nie
> wolno zmarnować na hipokryzję i strach.**

Raczej żyj, a nie myśl o tym, żeby zostać zapamiętanym.
I tak będziesz martwy.

Na Ziemi żyły już miliony ludzi, a nie znamy nawet ich
imion. Zaakceptuj to – jesteś tu tylko na kilka dni, a potem
odejdziesz. Tych kilku dni nie wolno zmarnować na hipokry-
zję i strach. Te dni trzeba przeżywać z radością.

Nikt nie zna przyszłości. Niebo, piekło, Bóg to najprawdo-
podobniej hipotezy, coś, czego nie da się udowodnić. Jedyną

rzeczą, która zależy od ciebie, jest twoje życie – spraw, by było jak najbogatsze.

Dzięki bliskości, miłości, otwieraniu siebie dla innych ludzi, stajesz się bogatszy. A jeśli potrafisz żyć w głębokiej miłości, głębokiej przyjaźni, głębokiej bliskości w stosunku do wielu ludzi, to żyłeś dobrze. Gdziekolwiek się znajdziesz, będziesz tam szczęśliwy, ponieważ nauczyłeś się pewnej sztuki.

Jeśli jesteś prosty, kochający, otwarty, dostępny wytwarzasz wokół siebie raj. Gdy jesteś zamknięty, wiecznie się bronisz, ciągle boisz się, że ktoś pozna twoje myśli, twoje marzenia, twoje perwersje – to jakbyś żył w piekle. Piekło jest w tobie – niebo również. Nie są one miejscami geograficznymi, lecz przestrzenią duchową.

Oczyść się. A medytacja to nic więcej jak pozbywanie się wszystkich śmieci, które nagromadziły się w twoim umyśle. Gdy umysł jest cicho, a serce śpiewa, stajesz się gotowy, aby bez cienia lęku, lecz z wielką radością, zbliżyć się do kogoś. Bez bliskości jesteś sam wśród obcych. Z bliskością otoczony jesteś przyjaciółmi, ludźmi, którzy cię kochają. Bliskość to wspaniałe doświadczenie. Człowiek nie powinien go przegapiać.

1. PODSTAWY:
ABC BLISKOŚCI

Ludzie potrzebują medytacji, modlitwy, poszukują nowych stylów bycia. Ale jeszcze głębsze i ważniejsze jest poszukiwanie sposobu na to, by ponownie zakorzenić się w egzystencji. Możesz to nazwać medytacją, modlitwą; nazwij to, jak chcesz, ale podstawą jest to, że poszukujesz sposobu na ponowne zapuszczenie korzeni w egzystencję. Staliśmy się drzewami pozbawionymi korzeni – winę za to ponosimy my sami, nikt inny tylko my i nasza głupia chęć podboju natury.

Stanowimy część natury – w jaki sposób część mogłaby pokonać całość? Zaprzyjaźnij się z nią, pokochaj, zaufaj jej, a powoli, w atmosferze przyjaźni, miłości i zaufaniu pojawi się bliskość; zbliżycie się do siebie i natura zacznie odkrywać swoje sekrety. Jej najwyższym sekretem jest boskość. Natura ujawnia go jedynie tym, którzy są jej prawdziwymi przyjaciółmi.

Zacznij tu, gdzie jesteś

Życie jest poszukiwaniem – nieustającym, desperackim, beznadziejnym poszukiwaniem nie wiadomo czego. Istnieje w nas głęboka potrzeba poszukiwania, ale nikt nie wie, czego tak naprawdę szuka. W naszych umysłach istnieje też pewne nastawienie, z powodu którego nie jesteśmy zadowoleni z tego, co dostajemy. Ludzie skazani są na frustrację, ponieważ cokolwiek zdobędą, natychmiast traci to dla nich wartość. A wtedy znowu zaczynają poszukiwać.

Poszukiwanie trwa niezależnie od tego, czy coś znajdujesz, czy nie. Wydaje się to być bez sensu – kontynuujesz poszukiwania bez względu na to, czy coś znajdujesz, czy nie. Poszukiwania bywają ubogie, bogate, chore, zdrowe, pełne energii, bezsilne, głupie i mądre – ale nikt dokładnie nie wie, czego szuka.

Trzeba zrozumieć tę dążność do poszukiwania – czym ona jest i dlaczego istnieje. Wydaje się, że w człowieku, że w ludzkim umyśle jest jakaś czarna dziura. Wrzucasz w nią różne rzeczy, a one… znikają. Nic jej nie wypełnia, nic nie może pomóc w wypełnieniu jej. To bardzo gorączkowe poszukiwanie. Szukasz zarówno w tym, jak i w innym świecie. Czasami poszukujesz tego w pieniądzach, we władzy, w prestiżu, czasem w Bogu, w błogosławieństwie, miłości, medytacji, modlitwie – poszukiwanie trwa. Wydaje się, że człowiek jest chory na poszukiwanie.

Poszukiwanie uniemożliwia ci bycie tu i teraz, zawsze dokądś cię prowadzi. Poszukiwanie to projekcja, poszukiwanie to pożądanie, poczucie, że potrzeba ci czegoś innego – poczucie, że to coś istnieje, ale – gdzieś indziej, nie tam, gdzie jesteś ty. Oczywiście istnieje, ale nie w tym momencie – nie teraz i gdzieś indziej. Istnieje wtedy, tam, ale nigdy tu i teraz. To cię męczy, prześladuje, każe dokądś gnać, wciąga cię w coraz większe szaleństwo, doprowadza do szału. I nigdy nie zostaje spełnione.

Słyszałem o wspaniałej mistyczce sufi; nazywała się Rabia al-Adawiya.

Pewnego wieczoru, o zachodzie słońca, usiadła, szukając czegoś na drodze. Była starą kobietą, miała słaby wzrok i z trudem mogła cokolwiek zobaczyć. Sąsiedzi przyszli więc, aby jej pomóc. Zapytali:

– Czego szukasz?

Rabia odpowiedziała:

– To pytanie nie ma sensu. Po prostu szukam – możecie mi pomóc, jeśli chcecie.

Roześmiali się i powiedzieli:

– Rabia, zwariowałaś? Mówisz, że nasze pytanie nie ma sensu, ale jeśli nie wiemy, czego szukasz, jak moglibyśmy ci pomóc?

– W porządku, powiem, żeby was zadowolić – szukam swojej igły. Zgubiłam ją.

Zaczęli jej pomagać, ale nagle zdali sobie sprawę, że igła jest bardzo mała, a droga bardzo duża. Zapytali więc Rabię:

– Powiedz nam, gdzie ją zgubiłaś, określ dokładnie, precyzyjnie miejsce, bo bez tego będzie bardzo trudno ją znaleźć. Droga jest bardzo szeroka, możemy tak szukać w nieskończoność. Gdzie zgubiłaś igłę?

Rabia odpowiedziała:

– Znów zadajecie bezsensowne pytanie. W jaki sposób jest ono związane z moim poszukiwaniem?

Zatrzymali się i powiedzieli:

– Z pewnością zwariowałaś!

– Dobrze, odpowiem, żeby was zadowolić – zgubiłam ją w domu.

– To dlaczego szukasz jej tutaj? – zapytali.

– Ponieważ tutaj jest jeszcze światło, a w domu już go nie ma.

To niezwykła przypowieść. Czy kiedykolwiek zadałeś sobie pytanie, czego tak naprawdę szukasz? Czy celem twojej medytacji było kiedyś dowiedzenie się, za czym w ogóle się rozglądasz? Nie. Nawet jeśli w mglistych wspomnieniach, w marzeniach miałeś przeczucie, że wiesz, czego szukasz, to nie było ono nigdy precyzyjne, nie było dokładne. Jeszcze tego nie zdefiniowałeś.

Jeśli spróbujesz to określić, to im dokładniej uda ci się to zrobić, tym mniejszą będziesz miał potrzebę, aby tego szukać. Poszukiwanie może trwać tylko we mgle, w stanie uśpienia; nic nie jest jasne, po prostu szukasz popychany wewnętrzną potrzebą. Wiesz jedno: musisz poszukiwać. To wewnętrzna potrzeba. Ale nie wiesz, czego szukasz. A jeśli nie wiesz, to jak możesz to znaleźć?

> Czy kiedykolwiek zadałeś sobie pytanie, czego tak naprawdę szukasz? Czy celem twojej medytacji było kiedyś dowiedzenie się, za czym w ogóle się rozglądasz?

Twoje poszukiwania są zamglone – myślisz, że klucz stanowią pieniądze, władza, prestiż, szacunek. Ale kiedy spotykasz ludzi cieszących się szacunkiem, ludzi, którzy mają władzę, to okazuje się, że oni także czegoś szukają. Spotykasz niezwykle bogatych ludzi i oni też poszukują; szukają do końca swoich dni. Więc bogactwo nie pomaga, nie pomaga władza. Poszukiwanie trwa niezależnie od tego, co posiadasz.

Poszukiwanie musi więc dotyczyć czegoś innego. Te nazwy, te etykietki: pieniądze, władza, prestiż – są tylko po to, żeby zadowolić twój umysł, aby pomóc ci uwierzyć, że czegoś szukasz. To „coś" pozostaje jednak niezdefiniowane i mgliste.

Podstawą dla prawdziwego poszukiwacza – takiego, który jest uważny i świadomy – jest zdefiniowanie, sformułowanie jasnej idei tego, czym poszukiwany obiekt jest, wyrwanie go ze sfery marzeń, przerzucenie go do głębokiej świadomości, tak aby móc się mu przyjrzeć, zmierzyć się z nim. Wtedy natychmiast zacznie się przemiana. Jeśli zaczniesz precyzować przedmiot poszukiwań, stracisz nim zainteresowanie. Im dokładniej go określisz, tym mniej będzie obecny. Gdy dowiesz się, co to jest, nagle zniknie. Istnieje tylko wtedy, gdy jesteś nieświadomy.

Pozwól, że powtórzę: poszukiwanie trwa tylko wtedy, gdy pozostajesz w stanie uśpienia, gdy nie jesteś świadomy; istnieje tylko w twojej nieświadomości. Poszukiwanie jest wytworem twojej nieświadomości.

Tak, Rabia ma rację. Wewnątrz nie ma światła – a jeśli wewnątrz nie ma światła i świadomości, to oczywiście zaczynasz szukać na zewnątrz, bo myślisz, że tam łatwiej znajdziesz.
Nasze zmysły skierowane są na zewnątrz. Oczy otwierają się na zewnątrz, ręce poruszają się i rozkładają na zewnątrz, nogi poruszają się na zewnątrz, uszy słuchają zewnętrznych dźwięków, głosów. To, co jest ci dostępne, otwiera się na zewnątrz; wszystkie pięć zmysłów tak działa. Poszukiwania zaczynasz tam, gdzie dociera twój wzrok, gdzie możesz coś poczuć, dotknąć. Światło zmysłów pada na zewnątrz, a poszukiwacz jest przecież wewnątrz.

Trzeba zrozumieć tę dwoistość. Poszukiwacz jest wewnątrz, ale ponieważ światło jest na zewnątrz, to tam zaczyna on szukać czegoś, co przyniosłoby mu spełnienie. Tak się nie stanie. Nigdy tak się nie stało. Nie może się tak stać, ponieważ dopóki nie znajdziesz poszukiwacza, poszukiwanie nie ma sensu. Dopóki nie dowiesz się, kim jesteś, całe poszukiwanie jest daremne; nie znasz poszukiwacza. Jak mógłbyś poruszać się w odpowiednim wymiarze, w odpowiednim kierunku, nie wiedząc, kim on jest? To niemożliwe. To, co jest najważniejsze, trzeba wziąć pod uwagę w pierwszej kolejności.

Po pierwsze, uświadom sobie, czego poszukujesz. Nie błądź w ciemności. Skup swoją uwagę na obiekcie. Czego tak naprawdę szukasz? Czasami bowiem pragniesz czegoś, ale szukasz czegoś zupełnie innego, więc nawet jeśli to znajdziesz, nie poczujesz spełnienia. Czy widziałeś ludzi, którym się powiodło? Czy w jakiejkolwiek innej dziedzinie ponosi się większe porażki? Słyszałeś powiedzenie, że nie ma większego sukcesu niż sam sukces. To nieprawda. Powiem ci, że nic nie jest tak złe jak sukces. Powtarzam: nie ma nic gorszego niż sukces.

Mówi się o Aleksandrze Wielkim, że gdy podbił świat, zamknął drzwi od swojego pokoju i zaczął płakać. Nie wiem, czy tak się stało, czy nie, ale jeśli był on choć trochę inteligentny, to musi to być prawdą. Jego generałowie byli bardzo zaniepokojeni:

Co się stało? Nigdy nie widzieli, żeby Aleksander Wielki płakał. Nie był tego typu człowiekiem; był wspaniałym wojownikiem. Widzieli go w ogromnych kłopotach, w sytuacjach zagrożenia, gdy śmierć deptała mu po piętach, i nigdy nie widzieli nawet najmniejszej łzy w jego oczach. Nie widzieli, aby wcześniej miewał chwile desperacji i poczucia beznadziei. Co się z nim stało... i to właśnie teraz, gdy odniósł sukces, gdy podbił świat?

Zapukali do drzwi, weszli i zapytali: „Co się stało? Dlaczego płaczesz jak dziecko?".

Odpowiedział: „Teraz, gdy odniosłem sukces, wiem, że poniosłem klęskę. Wiem, że stoję teraz w tym samym miejscu, w którym byłem, zanim zaczął się cały ten nonsens związany z podbijaniem świata. Zdałem sobie z tego sprawę, ponieważ nie ma już innego świata do podbicia; inaczej mógłbym kontynuować podróż, mógłbym podbijać kolejny świat. Teraz nie ma drugiego świata do zdobycia, teraz nie ma nic do zrobienia – i nagle zostałem sam ze sobą".

Człowiek, który odniósł sukces, zawsze na końcu zostaje sam ze sobą i cierpi piekielne tortury, ponieważ stracił całe swoje życie. Szukał i szukał, ryzykował wszystko, co miał. Teraz odniósł sukces, a jego serce jest puste, dusza pozbawiona wartości, brak mu aromatu, brak poczucia błogości.

Najważniejsze jest to, by dokładnie określić, czego się szuka. Nalegam – ponieważ im bardziej skupisz wzrok na obiekcie poszukiwań, tym bardziej ten obiekt będzie zanikał. Gdy twoje oczy będą całkowicie skupione, nie będzie już czego szukać; nagle zwrócą się one w twoim kierunku, do wewnątrz. Gdy nie ma ani jednego obiektu poszukiwań, gdy wszystkie zniknęły, pojawia się pustka. W tej pustce zawarta jest przemiana, zwrot ku sobie samemu. Nagle zaczynasz patrzeć w siebie. Teraz nie ma czego szukać i pojawia się nowe pragnienie, aby poznać poszukiwacza.

> **Człowiek, który odniósł sukces, zawsze na końcu zostaje sam ze sobą i cierpi piekielne tortury, ponieważ stracił całe swoje życie. Szukał i szukał, ryzykował wszystko, co miał. Teraz odniósł sukces, a jego serce jest puste, dusza pozbawiona wartości.**

Jeśli masz czego szukać, jesteś człowiekiem materialnym. Jeśli nie masz czego szukać i najważniejsze stało się dla ciebie pytanie: „Kim jest poszukiwacz?", to jesteś osobą religijną.

W ten sposób definiuję materialność i religijność. Jeśli nadal czegoś szukasz – może w następnym życiu, może na innym brzegu, może w niebie, w raju, nie ma znaczenia – jesteś człowiekiem o nastawieniu materialnym. Przemiana następuje wtedy, gdy ustają poszukiwania i nagle zdajesz sobie sprawę, że musisz dowiedzieć się tylko jednego: „Kim jest poszukiwacz we mnie? Czym jest ta energia, która pragnie poszukiwać? Kim jestem?". Następuje przewartościowanie. Zaczynasz poruszać się do wewnątrz. Wtedy Rabia już nie szuka na ulicy igły, którą zgubiła w mrocznym wnętrzu własnej duszy.

Gdy zaczniesz poruszać się do wewnątrz... Na początku będzie bardzo ciemno – Rabia ma rację, jest tam bardzo, bardzo ciemno. Ponieważ nigdy nie byłeś wewnątrz, twoje oczy skupiły się na świecie zewnętrznym. Czy to zauważyłeś? Czasami, gdy wejdziesz do pomieszczenia z zewnątrz, gdzie jest słonecznie, słońce jest gorące i świeci jasne światło, gdy wejdziesz do pokoju lub do domu – robi się ciemno, ponieważ oczy skupiły się na świetle z zewnątrz. Gdy jest dużo światła, źrenice kurczą się. W ciemności muszą się rozszerzyć; w ciemności potrzebna jest szerzej otwarta przesłona. W jasnym świetle potrzeba przymkniętej. Na tej zasadzie działa aparat fotograficzny i w ten sposób funkcjonuje oko; aparat wymyślono, wzorując go na ludzkim oku.

> Przemiana następuje wtedy, gdy ustają poszukiwania i nagle zdajesz sobie sprawę, że musisz dowiedzieć się tylko jednego: „Kim jest poszukiwacz we mnie? Czym jest ta energia, która pragnie poszukiwać? Kim jestem?".

Kiedy nagle wejdziesz z zewnątrz do domu, twój własny dom wydaje się być ciemny. Ale jeśli chwilę w nim posiedzisz, stopniowo ciemność zniknie. Pojawi się więcej światła; twoje oczy przyzwyczają się. Przez kolejne wcielenia byłeś na zewnątrz, wystawiony na działanie gorącego słońca, skupiony na świecie, więc gdy wejdziesz do środka, zapominasz, jak się wchodzi i przystosowuje oczy. Medytacja to nic innego jak przystosowanie wzroku, przystosowanie umiejętności widzenia.

W Indiach nazywamy to trzecim okiem. Nie jest to rzeczywiste oko, ale przystosowanie, całkowite przystosowanie wzroku. Stopniowo ciemność przestaje być ciemnością. Zaczynasz dostrzegać delikatne, rozlane światło. I jeśli będziesz zaglądał do wewnątrz – to trochę potrwa – stopniowo, powoli zaczniesz odczuwać w sobie to piękne światło. Nie jest ono agresywne jak światło słońca; bardziej przypomina światło księżyca. Nie jest jaskrawe, oślepiające, lecz chłodne. Nie jest gorące, jest współczujące, łagodzące, jak balsam.

Powoli, gdy przyzwyczaisz się do wewnętrznego światła, zauważysz, że to ty jesteś jego źródłem. Poszukiwacz został odnaleziony. Wtedy zauważysz, że skarb znajduje się w tobie, a cały problem polegał na tym, że szukałeś go na zewnątrz. Szukałeś go gdzieś na zewnątrz, a on zawsze był w środku. Zawsze był w tobie. Szukałeś w złym kierunku, to wszystko.

Wszystko jest dla ciebie dostępne w takim samym stopniu, w jakim dostępne jest dla innych, dla Buddy, dla Mojżesza, dla Baal-Szema (stworzył w Polsce w XVIII wieku żydowski ruch religijny o charakterze mistycznym – chasydyzm), dla Mahometa. Wszystko jest dla ciebie dostępne, ale ty patrzysz w złym kierunku. Jeśli chodzi o skarby, to nie jesteś wcale uboższy niż Budda czy Mahomet – nie, Bóg nigdy nie stworzył człowieka biednego. Tak się nie dzieje, ponieważ Bóg tworzy cię ze swojego bogactwa. Jak Bóg mógłby wykreować biednego człowieka? Wypłynąłeś z niego; jesteś częścią egzystencji. Jak mógłbyś być biedny? Jesteś bogaty, nieskończenie bogaty – tak bogaty jak sama natura.

Ale patrzysz w złym kierunku. A ponieważ kierunek jest zły – nie widzisz tego. I nie chodzi o to, że nigdy nie odniesiesz w życiu sukcesu – możesz go odnieść. Ale i tak stanie się on twoją porażką. Nic cię nie zadowoli, ponieważ w świecie zewnętrznym nie da się osiągnąć niczego, co można by porównać z wewnętrznymi skarbami, wewnętrznym światłem, wewnętrznym błogosławieństwem.

POZNANIE SIEBIE MOŻLIWE JEST TYLKO W GŁĘBOKIEJ SAMOTNOŚCI. Zwykle to, co wiemy o sobie, pochodzi od innych. Mówią: „Jesteś dobry", a my myślimy, że jesteśmy dobrzy. Mówią: „Jesteś piękny", a my myślimy, że jesteśmy piękni. Mówią: „Jesteś zły" albo: „Jesteś brzydki"... cokolwiek mówią, gromadzimy to. Staje się to naszą osobowością. Jest to fałszywe, ponieważ nikt nie może cię poznać – nikt poza tobą nie może wiedzieć, kim jesteś. Ludzie znają tylko pewne aspekty, bardzo powierzchowne aspekty. Znają tylko chwilowe nastroje; nie mogą zagłębić się w twoje wnętrze. Nawet twój kochanek nie może poznać twojego rdzenia. Jesteś tam całkowicie sam i tylko tam dowiesz się, kim naprawdę jesteś.

Ludzie przez całe życie wierzą w to, co mówią im inni, polegają na nich. Dlatego obawiają się cudzych opinii. Jeśli ludzie myślą, że jesteś zły, stajesz się zły. Jeśli cię potępiają, sam zaczynasz siebie potępiać. Jeśli mówią, że jesteś grzesznikiem, zaczynasz odczuwać poczucie winy. Polegasz na ich opiniach, nieustannie się do nich dostosowujesz; chcesz być zawsze postrzegany pozytywnie. To powoduje niewolę, bardzo dyskretną niewolę. Jeśli chcesz być postrzegany jako ktoś dobry, wartościowy, piękny, inteligentny musisz ustępować, nieustannie iść na kompromis z ludźmi, od których jesteś zależny.

> Ludzie przez całe życie wierzą w to, co mówią
> im inni, polegają na nich. Dlatego obawiają się
> cudzych opinii. Jeśli ludzie myślą, że jesteś zły,
> stajesz się zły. Jeśli cię potępiają, sam zaczynasz
> siebie potępiać.

Tu pojawia się kolejny problem. Ponieważ jest tak wielu ludzi, to karmią oni twój umysł różnymi opiniami, również sprzecznymi. Jedna opinia zaprzecza drugiej; stąd twój brak pewności. Jedna osoba mówi, że jesteś bardzo inteligentny, druga, że głupi. Jaka jest prawda? Jesteś rozdarty. Zaczynasz być podejrzliwy w stosunku do siebie, w stosunku do tego, kim jesteś... wahasz się. To skomplikowana sprawa, ponieważ wokół ciebie są tysiące ludzi.

Kontaktujesz się z wieloma ludźmi. Każdy karmi twój umysł swoimi opiniami. A nikt cię nie zna – nawet ty siebie nie znasz – więc cały ten zbiór zaczyna się mieszać. Powstaje jakiś dziwny misz-masz. Słyszysz wewnątrz siebie wiele głosów. Gdy pytasz o to, kim jesteś, słyszysz wiele odpowiedzi. Niektóre należą do twojej matki, niektóre do ojca, jeszcze inne do nauczyciela i tak dalej. I nie da się zadecydować, która odpowiedź jest prawdziwa. Jak zdecydować? Jakie jest kryterium? I tak – człowiek się gubi. Oto nieznajomość siebie.

Ale ponieważ jesteś zależny od innych, boisz się zagłębić w samotność, bo boisz się, że kiedy to zrobisz, zatracisz siebie. Tyle że ciebie nie ma, będziesz musiał odrzucić swój obraz wytworzony na podstawie opinii innych ludzi. Dlatego jest to przerażające. Im głębiej wejdziesz, tym mniej będziesz wiedział, kim jesteś. Więc jeśli przemieszczasz się w stronę samopoznania, będziesz musiał odrzucić wszystko, co wiesz na swój temat. Powstanie luka; powstanie nicość. Staniesz się niebytem. Będziesz całkowicie zagubiony, ponieważ to, co już wiesz, jest nieistotne, a tego, co jest istotne, jeszcze nie poznałeś.

Chrześcijańscy mistycy nazywają to „ciemną nocą duszy". Trzeba przez to przejść, a gdy to zrobisz, nadejdzie świt. Wstaje słońce i człowiek po raz pierwszy poznaje siebie. Pierwszy promień i wszystko zostaje wypełnione światłem. Pierwsza pieśń ptaków o poranku i wszystko staje się możliwe.

Bądź prawdziwy

Prawdziwość oznacza autentyczność – bycie szczerym, nie fałszywym, odrzucenie masek. Niezależnie od tego, jaka jest twoja prawdziwa twarz, pokaż ją; nieważne, jaką cenę będziesz musiał za to zapłacić.

> **Nie bądź reformatorem, nie próbuj uczyć innych, nie próbuj ich zmieniać. Jeśli ty się zmienisz, będzie to wystarczające przesłanie.**

Pamiętaj, nie oznacza to, że musisz demaskować innych; jeśli są szczęśliwi ze swoimi kłamstwami, to jest to ich decyzja. Nie chodź i nie demaskuj nikogo. Ludzie myślą, że należy to robić – mówią, że trzeba być prawdziwym, autentycznym. Wydaje im się, że muszą namawiać, by wszyscy zrzucali ubrania, bo „po co ukrywać swoje ciało? Nie potrzebujesz ubrań". Nie. Proszę, pamiętaj: bądź szczery wobec siebie. Nie musisz reformować innych ludzi na świecie. Jeśli sam możesz wyrosnąć, to wystarczy. Nie bądź reformatorem, nie próbuj uczyć innych, nie próbuj ich zmieniać. Jeśli ty się zmienisz, będzie to wystarczające przesłanie.

Bycie autentycznym oznacza pozostanie prawdziwym wobec siebie. Jak to zrobić? Trzeba pamiętać o trzech rzeczach. Po pierwsze, nigdy nie słuchaj nikogo, kto mówi ci, jaki masz być. Zawsze słuchaj swojego wewnętrznego głosu, inaczej zmarnujesz całe życie. Twoja matka chce, żebyś był inżynierem, ojciec chce, żebyś był lekarzem, a ty chcesz być poetą. Co robić? Oczywiście matka ma rację, ponieważ bycie inżynierem jest korzystne, bardziej opłacalne. Ojciec także ma rację; bycie lekarzem to dobry towar na rynku, ma dobrą cenę. A poeta? Zwariowałeś? Odbiło ci? Poeci są wyklęci. Nikt ich nie chce. Nie ma na nich zapotrzebowania; świat może istnieć bez poezji – jej brak nie spowoduje żadnych problemów. Świat nie może istnieć bez inżynierów; świat ich potrzebuje. Jeśli jesteś potrzebny, to jesteś wartościowy. Jeśli nie jesteś potrzebny, nie masz żadnej wartości.

> **Bycie autentycznym oznacza bycie prawdziwym w stosunku do samego siebie. To bardzo, bardzo niebezpieczne; ludzie rzadko potrafią to zrobić. Ale kiedy to robią – udaje im się. Osiągają takie piękno, taką łaskę, takie spełnienie, jakich nie potrafisz sobie wyobrazić.**

Jeśli chcesz być poetą, bądź nim. Możesz być żebrakiem – świetnie. Zapewne się nie wzbogacisz, ale nie martw się. Mógłbyś przecież zostać świetnym inżynierem, zarabiać dużo pieniędzy, ale wtedy nigdy nie poczułbyś spełnienia. Nieustannie byś pragnął, twoje wewnętrzne ja marzyłoby o tym, byś został poetą.

Słyszałem taką historię: zapytano jednego z wielkich naukowców, chirurga, który dostał Nagrodę Nobla, dlaczego, odbierając tę prestiżową nagrodę, wcale nie wyglądał na szczęśliwego. Odpowiedział: „Zawsze chciałem być tancerzem. Nigdy nie chciałem być chirurgiem, a teraz nie tylko zostałem chirurgiem, zostałem świetnym chirurgiem, to moje jarzmo. Chciałem być tancerzem, a dziś jestem kiepskim tancerzem – to mnie boli, martwi. Gdy widzę, jak ktoś tańczy, jestem smutny, czuję się jak w piekle. Co mam zrobić z tą Nagrodą Nobla? Nie stanie się ona dla mnie tańcem; nie zastąpi mi tańca".

Zawsze bądź szczery wobec swojego wewnętrznego głosu. Może okazać się to niebezpieczne; zapuść się w to niebezpieczeństwo, ale pozostań w zgodzie z wewnętrznym głosem. Wtedy istnieje możliwość, że któregoś dnia osiągniesz stan, w którym będziesz mógł tańczyć z poczuciem spełnienia.

Pamiętaj – jesteś na pierwszym miejscu. Nie pozwól innym sobą manipulować i kontrolować cię – chętnych jest wielu; każdy gotowy jest tobą zawładnąć, każdy jest gotowy cię zmieniać, wskazywać ci kierunek, o który nie prosiłeś. Wszyscy dają ci wskazówki odnośnie do twojego życia. A wszystkie niezbędne wskazówki są w tobie, to ty masz w ręku mapę.

Być autentycznym oznacza być prawdziwym w stosunku do samego siebie. To bardzo, bardzo niebezpieczne; ludzie rzadko potrafią to zrobić. Ale kiedy to robią – udaje im się. Osiągają takie piękno, taką łaskę, takie spełnienie, jakich nie potrafisz sobie wyobrazić.

Ludzie wyglądają na sfrustrowanych dlatego, że nikt nie słucha swojego wewnętrznego głosu. Chciałeś poślubić dziewczynę, ale była ona Muzułmanką, a ty jesteś hinduskim braminem; twoi rodzice nigdy by się na to nie zgodzili. Społeczeństwo by tego nie zaakceptowało; to niebezpieczne. Dziewczyna była biedna, a ty bogaty. Więc poślubiłeś bogatą kobietę, Hinduskę z kasty braminów, zaakceptowaną przez wszystkich poza twoim sercem. Teraz twoje życie jest ohydne.

Chodzisz do prostytutek – ale nawet one ci nie pomogą; prostytuowałeś się przez całe swoje życie. Zmarnowałeś je.

Zawsze słuchaj wewnętrznego głosu i niczego poza nim. Są wokół ciebie tysiące pokus, ponieważ wielu ludzi zachwala swój towar. Świat to supermarket, każdy jest zainteresowany tym, żeby ci coś sprzedać. Każdy jest handlarzem. Jeśli będziesz słuchał zbyt wielu z nich, oszalejesz. Nie słuchaj nikogo. Po prostu zamknij oczy i wsłuchaj się w swój wewnętrzny głos. Na tym polega medytacja – aby wsłuchać się w swój wewnętrzny głos. To po pierwsze.

> **Cały twój mechanizm jest wywrócony do góry nogami, bo kiedy chciałeś być zły – nie byłeś; gdy przepełniała cię nienawiść, nie okazałeś tego. Teraz chciałbyś kochać, ale nagle zdajesz sobie sprawę z tego, że mechanizm nie funkcjonuje sprawnie.**

Po drugie – a drugie stanie się możliwe dopiero, gdy masz już za sobą pierwsze – nigdy nie noś maski. Kiedy jesteś zły, bądź zły. To ryzykowne, ale nie uśmiechaj się wtedy, bo to nieprawdziwe. Nauczono cię, że gdy jesteś zły, masz się uśmiechać, ale wtedy uśmiech staje się fałszywy jak maska – po prostu wykrzywienie ust, nic więcej. Serce wypełnione gniewem, trucizną, a na ustach uśmiech; stajesz się przepełniony fałszem.

A potem dzieje się jeszcze i to: chcesz się śmiać lecz nie potrafisz. Cały twój mechanizm jest wywrócony do góry nogami, bo kiedy chciałeś być zły – nie byłeś; gdy przepełniała cię nienawiść, nie okazałeś tego. Teraz chciałbyś kochać, ale nagle zdajesz sobie sprawę z tego, że mechanizm nie funkcjonuje sprawnie. Chcesz się uśmiechnąć, a robisz to z przymusem. Twoje serce przepełnia uśmiech i chcesz się głośno śmiać, ale nie możesz. Coś ściska w sercu, coś dusi w gardle. Uśmiech się nie pojawia, a nawet jeśli się pojawi, to jest blady, jakby martwy. Nie czyni cię szczęśliwym. Nie wzbiera w tobie. Nie promienieje wokół ciebie.

Kiedy jesteś zły – bądź zły. Nie ma powodu, żebyś nie był. Kiedy chcesz się śmiać, śmiej się. Nie ma powodu, byś się nie śmiał. Stopniowo okaże się, że twój cały system ponownie zaczyna funkcjonować.

A kiedy dobrze działa, naprawdę, wydaje z siebie cichy szumek, jak samochód, w którym wszystko jest sprawne. Kierowca, który kocha samochód, wie, kiedy wszystko jest w porządku, kiedy stanowi organiczną jedność – mechanizm funkcjonuje dobrze. Zobaczysz: kiedy organizm człowieka funkcjonuje prawidłowo, można słyszeć dokoła niego jakby delikatny szumek. Idziesz, a każdy krok ma w sobie coś z tańca. Mówisz, a słowa niosą w sobie delikatną poezję. Patrzysz i robisz to naprawdę; organizm nie jest letni, jest naprawdę gorący. Kiedy cię dotyka, dotyka naprawdę; możesz czuć, jak jego energia wnika w ciebie, prąd życia jest przenoszony... bo mechanizm dobrze działa.

Nie nakładaj masek; one powodują nieprawidłowe funkcjonowanie twojego mechanizmu, tworzą blokady. W twoim ciele jest wiele blokad. U człowieka maskującego złość blokuje się szczęka. Cała złość wchodzi tam i pozostaje. Jego dłonie stają się brzydkie; nie poruszają się z wdziękiem tancerza, ponieważ złość wchodzi w palce i blokuje je.

Pamiętaj, że złość ma dwa źródła, z których wypływa. Jedno to zęby, drugie to palce: wszystkie zwierzęta, kiedy są złe, gryzą zębami lub drapią pazurami. Z tych dwóch punktów wydobywa się złość.

Mam także podejrzenia, że kiedy ludzie kumulują w sobie zbyt wiele frustracji, zaczynają mieć problemy z zębami. Zęby się psują, gdyż jest w nich zbyt wiele energii, która nie może znaleźć ujścia. Każdy, kto dusi w sobie złość, więcej je, bo jego zęby potrzebują coś gryźć. Ludzie w złości więcej palą. Ludzie w złości więcej mówią, stają się obsesyjnymi gadułami, bo ich szczęki potrzebują być w ruchu, aby pozbyć się choć trochę napięcia. Dłonie złych ludzi mają zgrubiałe stawy, są brzydkie. Gdyby ta energia znalazła ujście, mogłyby stać się pięknymi dłońmi. Jeśli cokolwiek w sobie dusisz, jakaś część ciała jest odpowiedzialna za te emocje. Jeśli nie chcesz płakać, twoje oczy tracą blask, bo łzy są potrzebne; są zjawiskiem towarzyszącym życiu. Jeśli co jakiś czas łkasz i krzyczysz, wchodzisz w to – stajesz się tym zjawiskiem – łzy zaczynają spływać ci z oczu, oczy stają się czyste, oczy są odświeżone, młode i delikatne. To dlatego kobiety mają takie piękne oczy – nie przestały płakać. Mężczyźni zatracili piękno oczu, gdyż wydaje im się, że nie wypada ronić łez. Jeśli mały chłopiec płacze, każdy, nawet rodzice, będą się naśmiewać. Co ty robisz? Jesteś mięczakiem? Jakiż to nonsens, przecież Bóg dał mężczyznom i kobietom takie same gruczoły łzowe. Gdyby mężczyzna nie powinien płakać – nie miałby tych gruczołów. Zwykła kalkulacja. Dlaczego takie same gruczoły łzowe istnieją u mężczyzn i u kobiet? Oczy potrzebują łkania i szlochania – i wspaniale jeżeli możesz to robić z głębi swego serca.

Pamiętaj, jeśli nie umiesz serdecznie płakać, nie potrafisz także się śmiać, bo to dwa przeciwne bieguny. Ludzie umiejący się śmiać, umieją także płakać, ludzie, którzy nie umieją płakać, nie potrafią się śmiać.

Może zaobserwowałeś to kiedyś u dzieci: kiedy śmieją się długo i głośno, naturalnie przechodzą w płacz, bo obie te rzeczy są połączone. Słyszałem matki mówiące: „Nie śmiej się tak mocno, bo zaczniesz płakać". Prawda, bo zjawisko jest to samo – po prostu ta sama energia przemieszcza się w przeciwną stronę.

Toteż, po drugie, nie nakładaj masek. Bądź sobą za wszelką cenę.

Po trzecie, aby zachować swoją autentyczność, zawsze żyj w teraźniejszości – każde zakłamanie nadchodzi z przeszłości albo z przyszłości. To co przeszło, minęło, nie przejmuj się tym. I nie dźwigaj tego jak piętna; inaczej nigdy ci to nie pozwoli być prawdziwym w teraźniejszości. A co jeszcze nie nadeszło, to się nie zdarzyło; nie przejmuj się niepotrzebnie przyszłością, bo wejdzie ona do twojej teraźniejszości i zniszczy ją. Bądź prawdziwym w teraźniejszości, a wtedy będziesz autentyczny. Być tu i teraz znaczy być autentycznym. Nie w przeszłości, nie w przyszłości – w tej chwili. W tej chwili przez całą wieczność.

Zapamiętaj te trzy wskazówki, a staniesz się prawdziwy. Wtedy cokolwiek powiesz, będzie szczere. Zwykle sądzisz, że musisz uważać, mówiąc prawdę; ja tak nie sądzę. Rozwiń swoją autentyczność, a wtedy cokolwiek powiesz, będzie prawdziwe.

PRAWDA NIE JEST CZYMŚ LOGICZNYM. Pod pojęciem prawdy nie kryją się wnioski wysnute na podstawie logiki, metod racjonalnych. Przez prawdę rozumiem autentyczność istnienia, nienarzucanie sobie niczego, czym się nie jest, bycie tym, kim się jest, niezależnie od ryzyka, brak hipokryzji. Jeśli jest ci smutno, jesteś smutny. W tym momencie jest to prawdą; nie ukrywaj jej. Nie zakładaj na twarz sztucznego uśmiechu; ten uśmiech cię podzieli. Staniesz się dwiema częściami – jedna z nich będzie się uśmiechać i oczywiście to będzie ta mniejsza część, większa natomiast pozostanie smutna. Pojawił się podział, jeśli będzie się to powtarzać...

Gdy jesteś zły, starasz się tego nie okazywać – boisz się, że mógłbyś tym zepsuć swój wizerunek, ponieważ ludzie myślą, że jesteś pełen współczucia i że nigdy się nie złościsz. Doceniają to, twoje ego rośnie. Bycie złym zepsułoby twój piękny wizerunek, więc go nie niszczysz, lecz hamujesz swój gniew. Gotujesz się w środku, ale na zewnątrz pozostajesz pełen współczucia, uprzejmy, miły, słodki. Wciąż doprowadzasz do podziałów w sobie. Ludzie robią to przez całe życie; ta praktyka zakorzenia się. Nawet gdy siedzisz sam, nikogo nie ma i nie ma potrzeby udawać, ty udajesz; stało się to twoją drugą naturą. Ludzie nie są prawdziwi nawet we własnej łazience; są nieprawdziwi nawet wtedy, gdy są całkiem sami. Nie jest to problem bycia prawdziwym czy nieprawdziwym; to zamienia się w nawyk. Stosujesz go przez całe życie, a przez to odległość między dwiema częściami ciebie stale się powiększa.

> Nawet gdy siedzisz sam, nikogo nie ma i nie ma potrzeby udawać, ty udajesz; stało się to twoją drugą naturą. Ludzie nie są prawdziwi nawet we własnej łazience; są nieprawdziwi nawet wtedy, gdy są całkiem sami.

Przestrzeń tak wielką, że nie można jej połączyć, nazywamy schizofrenią. Gdy nie możesz kontaktować się z drugą częścią siebie, stajesz się niemal dwiema osobami zamiast jednej; wtedy staje się to poważną chorobą umysłową. Ale każdy człowiek jest podzielony, więc różnica między schizofrenikiem a człowiekiem zdrowym zależy tylko od stopnia zaawansowania tego podziału. Fakt istnienia tej granicy nie jest tak ważny jak odległość między dwiema częściami.

Przez prawdę rozumiem odrzucenie udawania. Po prostu bądź sobą, kimkolwiek jesteś. Jeśli w jakimś momencie ogarnia cię smutek, bądź smutny. A jeśli za chwilę staniesz się wesoły, nie ma potrzeby byś nadal trwał w smutku. Zostaliśmy przyuczeni do bycia konsekwentnymi, pozostawania konsekwentnymi. Tak się dzieje, możesz to zaobserwować – byłeś smutny i nagle smutek zniknął, ale nie umiesz od razu się roześmiać, bo co pomyśleliby ludzie? Zwariowałeś? Chwilę wcześniej byłeś smutny; a teraz nagle zaczynasz się śmiać? Jedynie szaleńcy i małe dzieci tak robią; nikt nie spodziewa się tego po tobie. Będziesz musiał poczekać na odpowiednią sytuację, w której powoli będziesz mógł się zrelaksować, uśmiechnąć, ponownie zacząć się śmiać.

Gdy jesteś smutny, usiłujesz się uśmiechać; gdy chcesz się uśmiechnąć, udajesz smutek ze względu na głupi nawyk bycia konsekwentnym. Każdy moment toczy się po swojemu i żaden nie musi być konsekwencją innego. Życie nieustannie się zmienia, jest jak rzeka. Zmienia swoje nastroje. Więc człowiek nie musi przejmować się byciem konsekwentnym. Każdy, kto się tym przejmuje, pozostanie nieprawdziwy, bo tylko kłamstwa są i muszą być niezmienne. Prawda zawsze się zmienia. W prawdzie zawarte są jej własne sprzeczności – i na tym polega jej bogactwo, wspaniałość, piękno.

Więc jeśli czujesz się smutny, bądź smutny – bez bycia konsekwentnym, bez oceniania, czy jest to dobre, czy złe. To nie kwestia tego, czy jest to dobre, czy złe; tak po prostu jest. I cokolwiek się dzieje, pozwól na to. Gdy znów zaczniesz się uśmiechać, nie czuj się winny. Nie przejmuj się tym, że skoro byłeś smutny, to teraz nie wypada się śmiać. Czekanie, żeby ktoś opowiedział kawał, przełamał lody, byś znów mógł się śmiać, czekanie na właściwy moment to czysta hipokryzja. Gdy jesteś szczęśliwy, bądź szczęśliwy; nie ma potrzeby niczego udawać.

I pamiętaj: każdy moment jest jak oddzielny atom. Nie jest kontynuacją chwili, która już przeminęła, i nie jest powiązany z tą, która nastąpi w przyszłości. Każdy moment to atom. Nie płyną one jeden za drugim, nie poruszają się w linii prostej.

Każda chwila trwa po swojemu i musisz się nią stać; nią i niczym innym. Oto co rozumiem jako prawdę.

> **Jeśli dążysz do jakiegoś ideału, nie możesz być prawdziwy wobec chwili, ponieważ twój ideał będzie zawsze obecny i będziesz musiał udawać, że postępujesz w zgodzie z nim. Człowiek prawdziwy nie ma ideałów.**

Prawda oznacza autentyczność, szczerość. Prawda nie jest logiczna. Jest ona psychicznym stanem bycia prawdziwym sobą – nienaśladowania jakiegoś ideału. Jeśli masz ideał, to staniesz się fałszywy. Jeśli sądzisz, że bycie takim jak Budda polega na byciu prawdziwym, to nigdy nie będziesz prawdziwy, ponieważ nie jesteś Buddą, narzucisz sobie bycie nim. Możesz siedzieć jak Budda, możesz stać się niemal marmurową figurką, ale w głębi siebie nadal będziesz tą samą osobą. Budda będzie tylko postawą. Jeśli dążysz do jakiegoś ideału, nie możesz być prawdziwy wobec chwili, ponieważ twój ideał będzie zawsze obecny i będziesz musiał udawać, że postępujesz w zgodzie z nim.

Człowiek prawdziwy nie ma ideałów. Żyje z chwili na chwilę; żyje daną chwilą. Całkowicie szanuje swoje uczucia, swoje emocje, swoje nastroje i chciałbym, żeby właśnie tacy byli ludzie: autentyczni, szczerzy, prawdziwi, pełni szacunku wobec własnej duszy.

Wysłuchaj siebie

Zawsze słuchaj własnych uczuć, nie ma potrzeby rozglądać się dookoła. Patrząc na ludzi, nie zobaczysz, co się naprawdę z nimi dzieje, ponieważ ich twarze nie są prawdziwe, tak samo jak i twoja twarz. Ich wygląd zewnętrzny nie odpowiada temu, co dzieje się wewnątrz, tak jak i twój wygląd nie odpowiada temu, co dzieje się w tobie.

Oto hipokryzja społeczeństwa – niepokazywanie wnętrza, własnego centrum, niepokazywanie prawdziwej twarzy. Ukryj ją. Pokaż tylko komuś bliskiemu, komuś, kto zrozumie. Ale kto jest bliski? Nawet kochankowie nie pokazują sobie swoich twarzy. Przecież nie ma pewności – w tej chwili ktoś jest twoim kochankiem, a w następnej może nim nie być. Więc każdy zamienia się w zamkniętą wyspę.

Nie patrz na innych, patrz na siebie. I pozwól temu, co kryjesz wewnątrz, wypłynąć, niezależnie od ryzyka. Nie ma większego ryzyka niż hamowanie uczuć. Jeśli coś w sobie tłumisz, tracisz cały zapał do życia, cały entuzjazm. Jeśli będziesz coś powstrzymywał, stracisz całe życie. Taka postawa jest toksyczna; zatruwasz się.

> **Nie patrz na innych, patrz na siebie. I pozwól temu, co kryjesz wewnątrz, wypłynąć, niezależnie od ryzyka. Nie ma większego ryzyka niż hamowanie uczuć.**

Słuchaj serca i uzewnętrzniaj to, co się w nim znajduje. W końcu zaczniesz być w tym skuteczny i będziesz czerpał z tego przyjemność. I kiedy poznasz, jak to jest być autentycznym, odkryjesz, że jest to tak piękne, że nigdy już nie wrócisz do bycia nieprawdziwym. Decydujemy się na bycie nieprawdziwymi, ponieważ nigdy nie zakosztowaliśmy bycia prawdziwymi. Od pierwszych chwil dzieciństwa, autentyzm był w nas tłumiony. Zanim dziecko zdąży nauczyć się, co jest prawdą, zostaje nauczone, jak ją powstrzymywać. Powstrzymuje ją nieświadomie, mechanicznie, nie wiedząc, co robi.

> **I kiedy poznasz, jak to jest być autentycznym, odkryjesz, że jest to tak piękne, że nigdy już nie wrócisz do bycia nieprawdziwym. Decydujemy się na bycie nieprawdziwymi, ponieważ nigdy nie zakosztowaliśmy bycia prawdziwymi.**

Bądź prawdziwy wobec siebie – to twoje jedyne zobowiązanie. Człowiek jest za siebie odpowiedzialny. Odpowiadasz tylko za siebie. Bóg nie zapyta cię, dlaczego nie byłeś kimś innym; zapyta, czemu nie byłeś sobą.

Jest pewna historia o chasydzkim mistyku Josiahu. Gdy ten umierał, ktoś zapytał go, dlaczego nie modli się do Boga i czy pewien jest, że Mojżesz jest dla niego wzorem. Odpowiedział: „Pozwólcie, że coś wam powiem. Bóg nie zapyta mnie, dlaczego nie byłem drugim Mojżeszem. Zapyta mnie, dlaczego nie byłem Josiahem".

Cały problem polega na tym, jak być sobą. I jeśli potrafisz go rozwiązać, wtedy żaden inny problem nie sprawi ci kłopotu. Wtedy życie będzie piękną tajemnicą; nie problemem do rozwiązania, ale tajemnicą, którą trzeba przeżyć i cieszyć się nią.

Zaufaj sobie

Zaufanie innym jest możliwe tylko wtedy, gdy wierzysz sobie. Przemiana musi najpierw zajść w tobie. Jeśli wierzysz w siebie, możesz mi zaufać, możesz wierzyć w ludzi, możesz wierzyć Istnieniu. Ale jeśli nie ufasz sobie, zaufanie innym nie jest możliwe.

Społeczeństwo niszczy ufność u samych jej korzeni. Nie pozwala ci ufać samemu sobie. Uczy różnych rodzajów zaufania – do rodziców, kościoła, rządu, Boga, niekończących się reklam – ale niszczy podstawę. A wtedy zaufanie staje się fałszywe; musi takie być. Wtedy każda wiara jest jak plastikowy kwiat. Nie masz prawdziwych korzeni, z których mógłby wyrosnąć prawdziwy kwiat.

Społeczeństwo robi to świadomie i celowo, ponieważ człowiek, który wierzy w siebie, jest dla społeczeństwa niebezpieczny; dla społeczeństwa, którego podstawą jest niewolnictwo, które tak wiele zainwestowało w niewolnictwo. Człowiek, który wierzy w siebie, jest niezależny, nieprzewidywalny; będzie poruszał się swoją własną drogą. Jego życie wypełnia wolność. Kochając, żywiąc uczucia do ludzi, będzie im ufał, a wtedy jego ufność stanie się niezwykle intensywna i prawdziwa, żywa i autentyczna. Będzie on w stanie ryzykować, bo mocno wierzy – ale tylko wtedy, gdy poczuje, że tego naprawdę chce, tylko gdy będzie to prawdziwe, tylko gdy ktoś poruszy jego serce, gdy poruszy jego inteligencję i miłość. W innym wypadku nie. Nie zmusisz go, żeby w coś uwierzył.

Społeczeństwo bazuje na wierze. Działa na zasadzie autohipnozy. Tworzy roboty i maszyny, nie istoty ludzkie. Potrzebuje ludzi zależnych – tak zależnych, żeby chętnie godzili się na tyranię, aby sami szukali sobie tyranów, swoich Adolfów

Hitlerów, swoich Mussolinich, swoich Józefów Stalinów i Mao Tse Tungów. Ziemię, tę piękną ziemię zamieniliśmy w więzienie. Kilku żądnych władzy ludzi zamieniło ludzkość w motłoch. Człowiek może istnieć tylko wtedy, gdy pójdzie na kompromis z nonsensami.

Powiedzieć dziecku, żeby wierzyło w Boga, to nonsens, kompletna bzdura – nie dlatego, że Bóg nie istnieje, ale dlatego, że dziecko nie poczuło pragnienia, głodu, tęsknoty. Nie jest jeszcze gotowe udać się na poszukiwanie prawdy, ostatecznej prawdy życia. Nie jest jeszcze na tyle dojrzałe, aby zagłębić się w prawdę o egzystencji. Taka miłość może się kiedyś przydarzyć, ale tylko wtedy, gdy nie narzuci mu się żadnych przekonań. Jeśli się go „nawróci", zanim pojawi się pragnienie poszukiwania i wiedzy, całe jego życie będzie fałszywe; dziecko nie będzie żyło naprawdę.

> **Ziemię, tę piękną ziemię zamieniliśmy w więzienie. Kilku żądnych władzy ludzi zamieniło ludzkość w motłoch. Człowiek może istnieć tylko wtedy, gdy pójdzie na kompromis z nonsensami.**

Owszem, będzie mówiło o Bogu, ponieważ powiedziano mu, że Bóg istnieje. Dowiedziało się tego od „autorytetów", od osób, które w jego dzieciństwie miały ogromną władzę – od rodziców, księży, nauczycieli. Dowiedziało się tego od ludzi i zaakceptowało to; od tego zależało jego przetrwanie. Nie mogło odmówić rodzicom, ponieważ bez nich nie byłoby w stanie żyć. Powiedzenie „nie" było zbyt ryzykowne; musiało powiedzieć „tak". Ale jego zgoda nie jest szczera, gdyż nie może taka być.

Mówi tak tylko w celach politycznych, żeby przetrwać. Nie zamieniłeś dziecka w osobę religijną, ale w dyplomatę; stworzyłeś polityka. Zniszczyłeś jego predyspozycje do wzrastania jako prawdziwa istota. Zatrułeś dziecko, zniszczyłeś możliwości rozwoju jego inteligencji, blokując w nim pragnienie zdobywania wiedzy. To pragnienie nigdy już się nie pojawi, ponieważ zanim zaczęło go nurtować pytanie, dostarczono mu odpowiedź, zanim stało się głodne, wmuszono w nie pożywienie. Bez uczucia głodu to wmuszone jedzenie nie może zostać strawione; nie ma uczucia niedosytu, aby móc je strawić. Właśnie dlatego ludzie żyją, jakby byli przewodami, przez które życie przepływa jak niestrawione jedzenie.

Człowiek musi być przy dzieciach bardzo cierpliwy, uważny, świadomy, aby nie powiedzieć niczego, co powstrzymałoby w nich wytworzenie ich własnej inteligencji, aby nie zmienić ich w chrześcijan, hindusów, muzułmanów. Trzeba mieć niewyczerpaną cierpliwość. Pewnego dnia stanie się cud i dziecko samo zacznie dociekać prawdy. Również wtedy nie dawaj mu gotowych odpowiedzi. Gotowe odpowiedzi nikomu nie pomagają; są głupie i puste. Pomóż dziecku stać się inteligentnym. Zamiast dawać mu odpowiedzi, twórz sytuacje i wyzwania, które wyostrzą jego inteligencję i pogłębią pytania tak, by mogły sięgnąć sedna spraw, by były pytaniami o życie i śmierć.

> **Człowiek musi być przy dzieciach bardzo cierpliwy, uważny, świadomy, aby nie powiedzieć niczego, co powstrzymałoby w nich wytworzenie ich własnej inteligencji**

Ale to nie jest dozwolone. Rodzice się boją, boi się społeczeństwo. Jeśli dzieciom pozwolono by pozostać wolnymi, to kto wie? Mogłyby wyjść i nigdy nie wrócić do owczarni, do której należą rodzice; może nigdy nie poszłyby do kościoła – katolickiego, protestanckiego czy jeszcze jakiegoś innego?

Kto wie, co się stanie, gdy uformują swoją własną inteligencję? Nie będą znajdować się pod twoim wpływem. A społeczeństwo zagłębia się coraz bardziej w politykę kontrolowania wszystkich, władzy nad ludzkimi duszami.

Właśnie dlatego pierwszą rzeczą, którą trzeba zniszczyć, jest wiara – wiara dziecka w siebie, pewność siebie. Muszą sprawić, żeby drżało i było przerażone. Gdy będzie przestraszone, pozwoli sobą manipulować. Jeśli jest pewne siebie, kontrola staje się niemożliwa, bo samo będzie sprawować nad sobą kontrolę. Będzie próbowało robić wszystko po swojemu. Nie będzie chciało postępować według cudzych zasad. Uda się we własną podróż, nie będzie spełniało cudzych pragnień. Nigdy nie będzie naśladować, nie będzie nudne ani głupie. Będzie osobą tak żywą, tak pulsującą życiem, że nikt nie będzie w stanie go kontrolować.

Kiedy zniszczysz jego wiarę, to tak, jakbyś je wykastrował. Odebrałeś mu moc; teraz zawsze będzie bezsilne i będzie potrzebować kogoś, kto będzie nad nim dominował, kierował nim i rządził. Teraz będzie dobrym żołnierzem, dobrym obywatelem, dobrym nacjonalistą, dobrym chrześcijaninem, muzułmaninem, hindusem.

Tak, zgodzi się na te statusy. Ale nie będzie prawdziwą jednostką. Nie będzie miało źródła, przez całe życie będzie wykorzenione. Będzie żyć bez podstawy – a takie życie to życie w cierpieniu, w piekle. Drzewa potrzebują korzeni w ziemi. Człowiek, podobnie jak drzewo, potrzebuje korzeni w egzystencji. Bez nich w jego życiu zabraknie inteligencji.

Któregoś dnia czytałem anegdotę.

Trzech chirurgów, bardzo dobrych przyjaciół, spotkało się na urlopie. Na plaży, siedząc pod drzewem, zaczęli się przechwalać. Pierwszy powiedział: „Operowałem człowieka, który stracił obie nogi na wojnie. Dałem mu sztuczne i stał się cud. Teraz jest on jednym z najlepszych biegaczy na świecie! Jest ogromna szansa, że wygra na nadchodzącej olimpiadzie".

Drugi powiedział: „To jeszcze nic. Ja operowałem kobietę, która spadła z trzydziestego piętra. Jej twarz była całkowicie zmiażdżona. Wykonałem świetną operację plastyczną. Któregoś dnia dowiedziałem się z gazety, że ta kobieta została miss świata".

Trzeci chirurg był skromnym człowiekiem. Pozostali spojrzeli na niego i zapytali: „A ty co ostatnio zrobiłeś? Co nowego?".

Mężczyzna odpowiedział: „Niewiele – a co więcej, nie wolno mi o tym mówić".

Jego koledzy zainteresowali się jeszcze bardziej. Nalegali: „Jesteśmy przyjaciółmi, potrafimy dochować tajemnicy. Nie musisz się przejmować; nikt się nie dowie".

Więc odpowiedział: „Dobrze, skoro tak mówicie, skoro obiecujecie... Przywiezono do mnie człowieka, który w wypadku samochodowym stracił głowę. Nie wiedziałem, co mam zrobić. Pobiegłem do ogrodu, aby pomyśleć i natknąłem się na kapustę. Ponieważ nie znalazłem nic innego, wszczepiłem kapustę na miejsce głowy. I wiecie co? Ten facet został prezydentem Stanów Zjednoczonych".

Możesz zniszczyć dziecko; ale wciąż może ono zostać prezydentem Stanów Zjednoczonych. To, że twoje życie pozbawione jest inteligencji, wcale nie znaczy, że nie osiągniesz sukcesu. Tak naprawdę trudniej go odnieść osobie inteligentnej, ponieważ jest ona kreatywna. Zawsze wyprzedza swoje czasy; potrzeba czasu, aby ją docenić.

Osobę nieinteligentną łatwo zrozumieć. Pasuje ona do profilu społeczeństwa; społeczeństwo dysponuje wartościami i kryteriami, według których może ją ocenić. Ale docenienie geniusza zajmuje społeczeństwu lata.

Nie mówię, że ktoś nieinteligentny nie może osiągnąć sukcesu, nie może zdobyć sławy, może – ale wciąż pozostanie fałszywy. I w tym cały kłopot: możesz stać się sławny, ale jeśli jesteś fałszywy, będziesz żyć w cierpieniu. Nie będziesz wiedział, jakie błogosławieństwa zsyła na ciebie życie – nigdy się tego nie dowiesz. Nie wystarczy ci inteligencji, żeby się o tym dowiedzieć. Nigdy nie dostrzeżesz piękna istnienia, ponieważ brak ci tego specjalnego rodzaju wrażliwości. Nigdy nie zobaczysz otaczających cię cudów, które na milion przeróżnych sposobów pojawiają się codziennie na twojej drodze. Nigdy tego nie dostrzeżesz, gdyż potrzebna jest do tego niezwykła zdolność rozumienia, odczuwania, bycia.

> Osobę nieinteligentną łatwo zrozumieć. Pasuje ona do profilu społeczeństwa; społeczeństwo dysponuje wartościami i kryteriami, według których może ją ocenić. Ale docenienie geniusza zajmuje społeczeństwu lata.

To społeczeństwo jest nastawione na władzę. Jest prymitywne i barbarzyńskie. Kilka osób – politycy, księża, profesorzy – dominuje nad pozostałymi milionami. To społeczeństwo jest zorganizowane w taki sposób, by nie pozwolić dziecku na rozwinięcie własnej inteligencji. To czysty przypadek, że raz na jakiś czas na ziemi pojawia się ktoś taki jak Budda. Czysty przypadek. Jakimś sposobem raz na jakiś czas jeden człowiek wyrywa się ze szponów społeczeństwa. Raz na jakiś czas ktoś nie zostaje zatruty przez społeczeństwo. To zapewne jakieś przeoczenie, pomyłka społeczeństwa. Zwykle odnosi ono sukces w niszczeniu twoich korzeni, w niszczeniu twojej wiary w siebie. A gdy to się stanie, nigdy nie będziesz umiał nikomu zaufać. Gdy nie jesteś w stanie pokochać siebie, nie będziesz w stanie pokochać kogoś. Oto prawda absolutna, nie ma od niej wyjątków. Możesz kochać innych tylko wtedy, gdy jesteś w stanie kochać siebie. Ale społeczeństwo potępia miłość do siebie. Mówi, że to samolubne, że to narcystyczne.

Owszem, miłość do siebie może być narcystyczna, ale nie musi. Może stać się narcystyczna, jeśli nie wykracza poza samą siebie; może stać się samolubna, jeśli zostanie ograniczona tylko do twojej osoby. Jednak zazwyczaj miłość do siebie to wstęp do wszystkich innych miłości.

> **To czysty przypadek, że raz na jakiś czas na ziemi pojawia się ktoś taki jak Budda. Czysty przypadek. Jakimś sposobem raz na jakiś czas jeden człowiek wyrywa się ze szponów społeczeństwa. Gdy nie jesteś w stanie pokochać siebie, nie będziesz w stanie pokochać kogoś. Oto prawda absolutna, nie ma od niej wyjątków.**

Osoba, która kocha siebie, prędzej czy później staje się przepełniona miłością. Osoba, która ufa sobie, nie może nie ufać innym, nawet tym, którzy mogą ją oszukać, nawet tym, którzy już ją oszukali. Tak, nie potrafi nie ufać nawet takim ludziom, ponieważ wie, że ufność ma większą wartość niż cokolwiek innego.

Możesz oszukać taką osobę – ale oszukać ją w czym? Możesz zabrać jej pieniądze lub coś innego. Ale człowiek, który zna piękno zaufania, nie będzie przejmował się takimi drobiazgami. Nadal będzie cię kochał, nadal będzie ci wierzył. I wtedy stanie się cud: jeśli ktoś naprawdę ci ufa, niemożliwe jest oszukanie go, prawie niemożliwe.

To dotyczy przecież także twojego życia: gdy komuś ufasz, on nie jest w stanie oszukać cię, zdradzić. Siedzisz na peronie, na stacji kolejowej. Nie wiesz, kim jest osoba siedząca obok – jest kimś obcym, kompletnie obcym – i mówisz do niej: „Proszę popilnować mojego bagażu. Muszę iść kupić bilet". I idziesz. Ufasz całkowicie obcej osobie. Ale prawie nigdy nie zdarzyło się, żeby ten obcy człowiek cię oszukał. Mógłby to zrobić, gdybyś mu nie zaufał.

> **Jeśli ktoś naprawdę ci ufa, niemożliwe jest oszukanie go, prawie niemożliwe.**

Zaufanie ma w sobie coś magicznego. Jakże ktoś mógłby cię oszukać, kiedy wie, że mu zaufałeś? Jak mógłby upaść tak nisko? Nigdy by sobie nie wybaczył, jeśli by cię oszukał.

W ludzkiej świadomości jest pewna wrodzona potrzeba, aby ufać i aby nam ufano. Każdy lubi, kiedy ktoś mu ufa. To wyraz szacunku do drugiej osoby – a gdy wierzysz obcej osobie, to nawet jeszcze coś więcej. Nie masz powodu jej ufać, a ty i tak to robisz. Wynosisz tę osobę tak wysoko, nadajesz jej ogromną wartość, że niemal niemożliwe jest, żeby chciała stamtąd spaść. A jeśli spadnie, nigdy nie będzie w stanie sobie wybaczyć, przez całe życie będzie na niej ciążyć poczucie winy.

Człowiek, który ufa samemu sobie, poznaje piękno tego zaufania – dowiaduje się, że im bardziej sobie ufasz, tym bardziej rozkwitasz; im bardziej sobie odpuszczasz i relaksujesz się, tym bardziej się zakorzeniasz i stajesz się pogodny, tym bardziej się uspokajasz i wyciszasz. I jest to tak wspaniałe, że zaczynasz ufać coraz większej liczbie osób, ponieważ im bardziej ufasz, tym bardziej pogłębia się twój spokój; twoje wyciszenie przenika coraz głębiej i głębiej, aż do rdzenia ciebie. I im bardziej ufasz, tym wyżej się wznosisz. Człowiek, który potrafi ufać, prędzej czy później poznaje logikę zaufania. A wtedy, któregoś dnia będzie musiał spróbować zaufać nieznanemu.

Zacznij ufać sobie – to podstawowa lekcja, pierwsza lekcja. Zacznij kochać siebie. Jeśli nie kochasz siebie, to kto inny cię pokocha? Ale pamiętaj, jeśli kochasz tylko siebie, twój kochanek będzie bardzo biedny.

Wspaniały mistyk żydowski, Hillel, powiedział: „Jeśli nie jesteś dla siebie, to kto inny dla ciebie będzie?" oraz: „Jeśli jesteś tylko dla siebie, to jakież znaczenie może mieć twoje życie?" – wspaniałe zdania. Pamiętaj: kochaj siebie, ponieważ jeśli nie będziesz siebie kochać, nikt inny nie będzie w stanie tego zrobić.

> **Jeśli nie jesteś dla siebie, to kto inny dla ciebie będzie? Jeśli jesteś tylko dla siebie, to jakież znaczenie może mieć twoje życie?**

Nie możesz kochać kogoś, kto nienawidzi siebie. A na tej niefortunnej planecie prawie każdy nienawidzi siebie, prawie każdy się potępia. Jak możesz kochać kogoś, kto się potępia? Nie uwierzy ci. On nie może kochać siebie – więc dlaczego ty miałbyś się na to odważyć? Nie jest w stanie kochać siebie – jak ty możesz go kochać? Będzie podejrzewał, że to gra, sztuczka, podstęp. Pomyśli, że próbujesz go oszukać, używając podstępnie imienia miłości. Będzie bardzo ostrożny i uważny, a jego podejrzliwość cię zatruje. Jeśli kochasz osobę, która nienawidzi siebie, to próbujesz zmienić jej opinię o sobie. A to bardzo trudne zadanie; to część jej tożsamości. Będzie z tobą walczyć, będzie starać się udowodnić ci, że ona ma rację, a ty się mylisz.

Właśnie coś takiego dzieje się w każdym związku miłosnym – pozwól, że nazwę to tak zwanym związkiem. Dzieje się tak pomiędzy każdym mężem i każdą żoną, każdą osobą kochaną i kochającą, każdym mężczyzną i każdą kobietą. Czy uważasz, że możesz zmienić w kimś jego opinie o samym sobie? To jego tożsamość, jego ego, takiego siebie poznał. Jeśli to odbierzesz, nie będzie wiedział, kim jest. To zbyt ryzykowne; nie odrzuci swojej opinii tak łatwo. Udowodni ci, że nie jest wart miłości; zasługuje tylko na nienawiść. I to samo dotyczy ciebie. Ty także nienawidzisz siebie; nie możesz pozwolić komukolwiek na to, by cię kochał. Gdy ktoś zbliża się do ciebie i otacza cię miłosną energią, ty kurczysz się, chcesz uciec, boisz się. Doskonale wiesz, że nie jesteś wart miłości, wiesz, że tylko na powierzchni wyglądasz dobrze, pięknie; wewnątrz jesteś brzydki. I jeśli pozwolisz tej osobie pokochać cię, prędzej czy później – i raczej prędzej niż później – ta osoba dowie się, kim jesteś naprawdę.

> **Jak możesz kochać kogoś, kto się potępia? Nie uwierzy ci. On nie może kochać siebie – więc dlaczego ty miałbyś się na to odważyć?**

Jak długo jesteś w stanie udawać przed osobą, z którą powinieneś żyć w miłości? Możesz udawać na targu, możesz udawać w Klubie Lwów, czy Rotarian – uśmiechy, same uśmiechy. Możesz cudownie odgrywać swoją rolę. Ale jeśli żyjesz z kobietą czy mężczyzną przez dwadzieścia cztery godziny na dobę, nieustanne uśmiechanie się robi się męczące. Wtedy uśmiech cię męczy, ponieważ staje się fałszywy. Jest tylko ćwiczeniem dla ust, usta w końcu się męczą. Jak możesz cały czas być słodki? Twoja gorycz wypłynie w końcu na zewnątrz. Dlatego wraz z końcem miesiąca miodowego wszystko się zmienia. Oboje poznaliście swoją rzeczywistość, oboje poznaliście swój fałsz, oboje poznaliście swoje zakłamanie.

Człowiek boi się bliskości. Bycie z kimś blisko oznacza, że trzeba odłożyć na bok swój scenariusz. Dobrze wiesz, kim jesteś: jesteś nic nie wart, jesteś śmieciem; tak mówiono ci od samego początku. Twoi rodzice, nauczyciele, księża, politycy – wszyscy mówili, że jesteś byle kim, że jesteś bezwartościowy. Nikt nigdy cię nie zaakceptował. Nikt nie dał ci poczucia bycia kochanym i szanowanym, poczucia bycia potrzebnym, poczucia, że egzystencji będzie cię brakować, że bez ciebie egzystencja nie byłaby taka sama, że bez ciebie powstałaby luka. Bez ciebie wszechświat straciłby część swojej poezji, piękna. Brakowałoby jakiejś piosenki, jakiejś nuty, powstałaby szczelina – nikt ci o tym nie powiedział.

Na tym właśnie polega moja praca: na zniszczeniu braku zaufania do samego siebie, które w tobie wytworzono; na zniszczeniu narzuconego ci samopotępienia, na odebraniu go i sprawieniu, że poczujesz się kochany i szanowany, kochany przez egzystencję. Bóg stworzył cię dlatego, że cię kochał. Kochał cię tak bardzo, że nie mógł powstrzymać się od stworzenia ciebie.

> **Bez ciebie wszechświat straciłby część swojej poezji, piękna. Brakowałoby jakiejś piosenki, jakiejś nuty, powstałaby szczelina – nikt ci o tym nie powiedział.**

Gdy malarz maluje, robi to z powodu miłości. Vincent van Gogh przez całe życie nieustannie malował słońce, tak bardzo je kochał. Właściwie to słońce doprowadziło go do obłędu. Przez rok, bez ustanku, stał i malował w gorącym słońcu. Całe jego życie kręciło się wokół słońca. I wreszcie któregoś dnia, szczęśliwy z namalowania obrazu, który zawsze chciał namalować – zanim tego dokonał, namalował wiele innych obrazów, ale nie był z nich zadowolony – w dniu, gdy był naprawdę szczęśliwy, kiedy mógł wreszcie powiedzieć: „Tak, to jest to, co zawsze chciałem namalować", popełnił samobójstwo. Uzmysłowił sobie:„Moja praca jest skończona. Zrobiłem to, po co się tu zjawiłem. Wypełniłem swoje przeznaczenie, dalsze życie nie ma sensu".

Całe swoje życie poświęcił konkretnemu obrazowi? Musiał naprawdę kochać słońce. Patrzył na nie tak długo, że zniszczyło mu oczy, wzrok, doprowadziło do obłędu.

Gdy poeta pisze piosenkę, robi to z miłości do niej. Bóg namalował cię, wyśpiewał, zatańczył. Bóg cię kocha! Jeśli słowo Bóg nie ma dla ciebie żadnego znaczenia, nie przejmuj się. Nazwij go egzystencją, nazwij go Istnieniem, Pełnią. Egzystencja cię kocha, inaczej nie byłoby cię tutaj.

Rozluźnij się, Istnienie cię uwielbia. Dlatego właśnie oddycha w tobie, pulsuje w tobie. Gdy zaczniesz odczuwać ten wspaniały szacunek, miłość, zaufanie Pełni w stosunku do ciebie, zaczniesz zapuszczać w siebie korzenie. Będziesz ufał sobie. I tylko wtedy będziesz mógł zaufać mi, tylko wtedy będziesz mógł zaufać przyjaciołom, dzieciom, mężowi, żonie. Tylko wtedy będziesz mógł zaufać drzewom, zwierzętom, gwiazdom i księżycowi. Wtedy będziesz żył w ufności. Przestaje być to problem ufania temu czy tamtemu; człowiek po prostu ufa. A ufać to być religijnym.

Na tym polega sannyas (z sanskrytu: sam – razem, ni – w dół, asyati – on rzuca; przyp. tłum). Sannyas odwraca wszystko, co wytworzyło społeczeństwo. To nie przypadek, że księża są mi przeciwni, politycy są przeciw mnie, rodzice są przeciw mnie, cały establishment jest przeciwko mnie; to nie przypadek. Doskonale mogę zrozumieć logikę ich działań. Staram się odwrócić wszystko, co do tej pory zrobili. Dokonuję sabotażu na całym schemacie postępowania tego niewolniczego społeczeństwa.

Dokładam wszelkich starań, by uczynić z was buntowników, a początkiem rewolucji jest zaufanie do siebie samych.

Jeśli jestem w stanie pomóc ci zaufać sobie, to pomogłem ci. Nie potrzeba niczego więcej; cała reszta przyjdzie sama.

2. BLISKOŚĆ Z INNYMI: KOLEJNE KROKI

Bliskość jest wtedy, gdy kochankowie są wobec siebie naprawdę bardzo otwarci, gdy nie boją się siebie nawzajem i nie ukrywają niczego przed sobą. Gdy mogą mówić sobie wszystko bez strachu, że druga osoba zostanie tym urażona czy zraniona... Jeśli kochanek uważa, że druga osoba będzie urażona, wtedy bliskość nie jest wystarczająco głęboka. Wtedy jest to jedynie rodzaj układu, który może zostać zniszczony przez cokolwiek. Ale gdy kochankowie zaczynają odczuwać, że nie ma nic do ukrycia, że można powiedzieć wszystko i że zaufanie doszło do takiej głębi, że nawet jeśli ty nic nie powiesz, druga osoba i tak będzie wiedzieć, wtedy stajecie się jednością.

Pozwól się zauważyć

Życie to pielgrzymka i jeśli nie pojawi się w nim miłość, będzie ono pielgrzymką, która prowadzi donikąd. Zatacza koło. Nigdy nie pojawia się moment spełnienia, w którym człowiek wykrzykuje: „Dotarłem na miejsce. Stałem się tym, po co tu przybyłem. Ziarno osiągnęło spełnienie, stając się kwiatem". Życie jest celem, życie jest wyprawą. A podróż bez celu jest neurotyczna, przypadkowa; nie prowadzi w żadnym określonym kierunku. Jednego dnia idziesz na północ, kolejnego na południe; będzie to przypadkowe, możesz z byle powodu dać się ściągnąć w jakiekolwiek miejsce. Dopóki nie będziesz miał jasnego celu, pozostaniesz dryfującą kłodą. Wybrana gwiazda może być bardzo odległa – to nie robi różnicy – ale powinna być dokładnie określona. Nie szkodzi, jeśli jest daleko, ale musi gdzieś być.

Jeśli twoje oczy mogą się na niej skupić, wyprawa mająca dziesięć tysięcy mil nie wyda ci się długa. Jeśli poruszasz się we właściwym kierunku, długa podróż nie będzie uciążliwa. Ale jeśli podążasz w złym, nie poruszasz się w żadnym albo w kilku kierunkach naraz, wtedy życie zaczyna się walić. Na tym właśnie polega nerwica – spadek energii, brak rozeznania, dokąd się idzie, co należy zrobić, kim być. Niewiedza dokąd iść, niewiedza, o co w tym wszystkim chodzi, pozostawia wewnątrz lukę, ranę, ciemną dziurę, z której emanować będzie nieustanny strach. Dlatego ludzie żyją w strachu. Mogą to ukrywać, mogą to maskować, mogą tego nikomu nie pokazywać, ale żyją w strachu. Właśnie dlatego ludzie tak bardzo boją się być z kimś blisko – druga osoba, jeśli pozwolisz jej podejść bardzo blisko, może zauważyć czarną dziurę w tobie.

Słowo intymność pochodzi od łacińskiego słowa intimum, co oznacza wnętrze, twoje najgłębsze jądro. Jeśli jest ono puste, nie możesz nawiązać z nikim bliskości. Nie dopuścisz intimum, bliskości, ponieważ ta osoba mogłaby zobaczyć dziurę, ranę i wydobywającą się z niej ropę. Ta osoba zauważy, że nie wiesz, kim jesteś, że jesteś szaleńcem, że nie wiesz, dokąd zmierzasz; zorientuje się, że nie słyszałeś nawet swojej własnej pieśni, że twoje życie to chaos. Stąd strach przed bliskością.

Nawet kochankowie rzadko się do siebie zbliżają. A relacje seksualne nie opierają się na bliskości – orgazm genitalny nie jest głównym, lecz zaledwie drugorzędnym składnikiem bliskości. Bliskość może współistnieć z nim, lub doskonale się bez niego obejść. Bliskość to zupełnie inny wymiar. Pozwala drugiej osobie wejść w ciebie i zobaczyć prawdziwego ciebie, pozwala drugiej osobie zobaczyć cię od wewnątrz, zaprasza drugą osobę do jądra ciebie. We współczesnym świecie bliskość zanika. Nawet kochankowie nie są ze sobą blisko. Przyjaźń jest dziś tylko słowem; zniknęła. Jaki jest tego powód? Powodem jest to, że nie ma się czym dzielić. Kto chciałby pokazać wewnętrzną nędzę? Człowiek chce udawać: „Jestem bogaty, osiągnąłem cel, wiem, co robię, wiem, dokąd idę".

> **Bliskość to zupełnie inny wymiar. Pozwala drugiej osobie wejść w ciebie i zobaczyć prawdziwego ciebie, pozwala drugiej osobie zobaczyć cię od wewnątrz, zaprasza drugą osobę do jądra ciebie.**

Człowiek nie jest gotowy i nie ma wystarczająco dużo odwagi, aby się otworzyć, aby pokazać swój wewnętrzny chaos, przestać się bronić. Druga osoba mogłaby to wykorzystać, to właśnie powoduje lęk. Druga osoba mogłaby za bardzo dominować, widząc, że twoje życie to chaos. Widząc, że potrzebujesz mentora, że nie jesteś panem samego siebie, druga osoba mogłaby się nim stać. Dlatego wszyscy starają się siebie bronić, tak aby nikt nie dowiedział się o ich wewnętrznej bezsilności; wydaje im się, że mogliby zostać wykorzystani. Ten świat bazuje na wyzysku.

Miłość jest celem. A gdy cel jest jasny, zaczyna się rozwijać twoje wewnętrzne bogactwo. Rana znika i zamienia się w lotos; rana przemienia się w lotos. Oto cud miłości, magia miłości. Miłość to największa alchemiczna siła na świecie. Ci, którzy wiedzą, jak z niej korzystać, zdobywają najwyższy wierzchołek, zwany Bogiem. Ci, którzy nie wiedzą, wiją się w ciemnych otchłaniach egzystencji; nigdy nie wchodzą na słoneczne pagórki życia.

Potrzeba prywatności

Każda istota ma dwie strony, zewnętrzną i wewnętrzną. Zewnętrzna może być publiczna, ale wewnętrzna już nie. Jeśli to, co wewnętrzne wystawiasz na widok publiczny, tracisz duszę, tracisz prawdziwą twarz. Będziesz żył tak, jakbyś nie miał wnętrza. Życie stanie się bezbarwne, daremne. Dzieje się tak z ludźmi, którzy prowadzą życie publiczne – z politykami, aktorami. Stają się osobami publicznymi, całkowicie zatracają swoje wnętrza; nie wiedzą, kim są, wiedzą tylko, co mówią o nich inni. Są zależni od cudzych opinii; nie mają poczucia własnej wartości.

Jedna z najpopularniejszych aktorek, Marylin Monroe, popełniła samobójstwo. Psychoanalitycy próbowali dociec przyczyny. Była jedną z najpiękniejszych kobiet świata, kobietą, która odniosła ogromny sukces. Nawet prezydent Stanów Zjednoczonych, John F. Kennedy, był w niej zakochany. Kochały ją miliony ludzi. Trudno sobie wyobrazić, jak można mieć więcej. Marylin miała wszystko.

Ale była osobą publiczną i dobrze o tym wiedziała. Nawet w swojej sypialni, gdy była tam z Prezydentem Kennedym, zwracała się do niego „Panie Prezydencie" – tak jakby kochała się nie z człowiekiem, ale z instytucją.

Ona była instytucją. Stopniowo odkrywała, że nie pozostało jej nic prywatnego. Kiedyś pozowała nago do kalendarza i ktoś zapytał ją: „Czy miałaś coś na sobie, pozując do tych zdjęć?".

Odpowiedziała: „Tak, miałam – perfumy".

Odkryta, naga, bez prywatności. Wydaje mi się, że popełniła samobójstwo, ponieważ to była jedyna rzecz, którą mogła zrobić jako prywatna osoba. Wszystko inne było publiczne; samobójstwo było jedyną rzeczą, którą mogła zrobić samodzielnie, z własnej woli; było to coś całkowicie intymnego i prywatnego. Osoby publiczne zawsze kusi popełnienie samobójstwa, ponieważ tylko dzięki niemu mogą mieć wgląd w to, kim naprawdę są.

Wszystko co piękne, jest wewnętrzne, a to, co wewnętrzne, jest prywatne. Czy widziałeś kiedyś, jak kobieta się kocha? Zawsze zamyka oczy. Ona o czymś wie. Mężczyzna kocha się z otwartymi oczami; pozostaje obserwatorem. Nie uczestniczy w akcie całkowicie; nie jest w nim całym sobą. Podgląda, tak jakby to ktoś inny się kochał, a on obserwował to tylko na ekranie telewizora. Ale kobieta wie coś więcej, ponieważ jest bardziej nastrojona na to, co wewnętrzne. Zawsze zamyka oczy. Wtedy miłość ma zupełnie inny aromat.

Zrób taki eksperyment: któregoś dnia odkręć wodę w łazience, a potem zapal i zgaś światło. W ciemności dużo wyraźniej będziesz słyszał płynącą wodę, dźwięk będzie ostrzejszy. Gdy światło jest zapalone dźwięk nie jest tak wyraźny. Co takiego dzieje się w ciemności? W ciemności wszystko znika, bo nic nie widzisz. Jesteście tylko ty i dźwięk. Dlatego we wszystkich dobrych restauracjach unika się ostrego światła. Zapala się świece. Gdy w restauracji są świece, smak staje się głębszy – lepiej jesz i bardziej smakujesz. Otacza cię zapach. Jeśli w restauracji jest ostre światło, smak znika. Oczy uzewnętrzniają wszystko.

W pierwszym zdaniu „Metafizyki" Arystoteles mówi, że wzrok jest najwyższym zmysłem człowieka. Nie jest – zaczął za bardzo dominować. Zmonopolizował człowieka i zniszczył pozostałe zmysły. Mistrz Arystotelesa, Platon, powiedział, że jest pewna hierarchia zmysłów – wzrok jest na górze, a dotyk na dole. Całkowicie się mylił. Nie ma hierarchii. Wszystkie zmysły są na tym samym poziomie, nie powinno być hierarchii.

Ale ty żyjesz oczami: osiemdziesiąt procent życia skupia się na oczach. Nie powinno tak być; musi istnieć równowaga. Powinieneś także dotykać, ponieważ dotyk daje coś, czego nie mogą dać oczy. Ale spróbuj, spróbuj dotykać kobietę, którą kochasz, lub mężczyznę, którego kochasz, w ostrym świetle, a potem zrób to samo w ciemności. W ciemności ciało uwalnia się; w jasnym świetle chowa.

> **Osiemdziesiąt procent życia skupia się na oczach. Nie powinno tak być; musi istnieć równowaga. Powinieneś także dotykać, ponieważ dotyk daje coś, czego nie mogą dać oczy.**

Czy widziałeś kiedyś obrazy kobiet Renoira? Mają w sobie coś niezwykłego. Wielu malarzy malowało ciała kobiece, ale nie mogą się oni równać z Renoirem. Na czym polega różnica? Wszyscy artyści malowali kobiece ciała takimi, jakimi widzą je oczy. Renoir malował to, co czuły dłonie, więc obrazy były bardzo ciepłe, bliskie, żywe.

Gdy dotykasz, coś dzieje się bardzo blisko ciebie. Gdy patrzysz, to co się dzieje, jest odległe. W ciemności, w ukryciu, w prywatności uwalnia się coś, czego nie da się uwolnić w miejscu otwartym, na targu. Inni patrzą i widzą; coś głęboko w tobie kurczy się, nie może zakwitnąć. To tak jakbyś położył nasiona na otwartej przestrzeni, żeby wszyscy mogli na nie patrzeć.

Nigdy nie wykiełkują. Muszą zostać wrzucone głęboko do łona ziemi, w głęboką ciemność, gdzie nikt ich nie zobaczy. Dopiero tam kiełkują i rodzi się z nich wspaniałe drzewo.

Tak jak nasiona potrzebują ciemności i prywatności w ziemi, tak wszystkie głębokie i intymne związki pozostają wewnątrz. Potrzebują prywatności, potrzebują miejsca, gdzie istnieją tylko oni dwoje. Wtedy nadchodzi moment, gdy znikają dwie osoby i pojawia się jedność.

Dwoje, głęboko ze sobą zestrojonych kochanków znika. Istnieją jako całość. Oddychają razem, są razem; powstaje jedność. To nie byłoby możliwe, gdyby ktoś ich obserwował. Oczy innych ludzi stałyby się przeszkodą. Więc wszystko, co jest piękne, wszystko co głębokie, dzieje się w ciemności.

> Tak jak nasiona potrzebują ciemności i prywatności w ziemi, tak wszystkie głębokie i intymne związki pozostają wewnątrz. Potrzebują prywatności, potrzebują miejsca, gdzie istnieją tylko oni dwoje.

W relacjach między ludźmi potrzebna jest prywatność. Dyskrecja ma swój własny powód, aby istnieć. Pamiętaj o tym, pamiętaj także, że jeśli staniesz się całkowicie publiczny, zaczniesz zachowywać się głupio. Będzie tak, jakby ktoś wywrócił swoje kieszenie na drugą stronę. Będziesz czuł się właśnie jak ta kieszeń. Nie ma nic złego w byciu na zewnątrz, ale pamiętaj, że jest to tylko część życia. Nie może stanowić jego całości.

Nie mówię, żebyś cały czas poruszał się w ciemności. Światło ma również swoje piękno i jest potrzebne. Jeśli nasiona pozostaną w ciemności gleby na zawsze, nigdy nie wykiełkują, nie otrzymają choć odrobiny porannego słońca, wtedy umrą. Muszą być w ciemności, aby zebrać siły, aby wypełnić się życiem, aby ponownie się narodzić; ale potem muszą wyjść na powierzchnię, zmierzyć się ze światem, ze światłem, burzą i deszczem. Muszą zaakceptować wyzwania, które czekają na nie na zewnątrz. Ale mogą je zaakceptować tylko wtedy, gdy są mocno ukorzenione.

Nie mówię, że masz uciekać. Nie mówię, że masz zamknąć oczy, poruszać się tylko wewnątrz i nigdy nie wychodzić. Mówię, żebyś wszedł do środka, aby móc wyjść na zewnątrz pełen energii, miłości, współczucia. Wejdź do środka, abyś, wychodząc na zewnątrz, nie był żebrakiem, lecz królem. Wejdź, abyś, wychodząc, miał się czym podzielić – kwiatami, liśćmi. Wejdź, żebyś, wychodząc, stał się bogatszy i mocniejszy. I zawsze, gdy czujesz się wyczerpany, pamiętaj, że źródło energii jest wewnątrz. Zamknij oczy i wejdź.

Nawiązuj znajomości na zewnątrz, ale również wewnątrz. Związki z innymi ludźmi na zewnątrz są konieczne – poruszasz się po świecie, będziesz nawiązywał relacje biznesowe – ale nie powinny być one jedynymi relacjami. Pełnią one swoją rolę, ale poza nimi musisz mieć coś całkowicie intymnego i prywatnego, coś, co będziesz mógł nazwać swoim.

Tego właśnie brakowało Marylin Monroe. Była kobietą publiczną, odniosła sukces i jednocześnie poniosła ogromną klęskę. Gdy była na szczycie sukcesu i sławy, popełniła samobójstwo. Dlaczego to zrobiła, pozostało tajemnicą. Miała wszystko; nie można mieć już więcej rozgłosu, sukcesu, charyzmy, piękna, zdrowia. Miała to wszystko, niczego nie dało się bardziej udoskonalić, ale wciąż czegoś jej brakowało. W środku, wewnątrz, była pusta. Wtedy samobójstwo to jedyne wyjście.

Możesz nie mieć tyle odwagi co Marylin Monroe. Możesz być tchórzem i umierać bardzo powoli – może ci to zająć kilka lat – ale i tak będzie to samobójstwo. Jeżeli nie masz czegoś wewnątrz siebie, czegoś, co nie jest zależne od tego co na zewnątrz, czegoś, co jest tylko twoje – świata, własnej przestrzeni, w której możesz zamknąć oczy, poruszać się i zapomnieć, że cokolwiek innego istnieje – popełnisz samobójstwo.

Życie wyrasta z wewnętrznego źródła i rozszerza się w kierunku nieba. Musi zostać zachowana równowaga – zawsze opowiadam się po stronie równowagi. Toteż nie powiem, że twoje życie ma być otwartą księgą, nie. Kilka rozdziałów może być otwartych, w porządku. Ale kilka musi pozostać całkowicie zamkniętych, muszą być tajemnicą. Jeśli jesteś otwartą księgą, będziesz prostytutką, będziesz stać nago na targu, ubrana jedynie w kroplę perfum. Nie, to się nie sprawdzi.

Jeśli cała twoja księga jest otwarta, będziesz dniem bez nocy, latem bez zimy. Gdzie będziesz odpoczywał, gdzie ustabilizujesz siebie, gdzie się schronisz? Dokąd pójdziesz, gdy będziesz miał dosyć świata? Dokąd pójdziesz po modlitwę i medytację? Proporcja pół na pół będzie najlepsza. Niech połowa twojej księgi będzie otwarta dla każdego, dostępna dla każdego, a druga połowa tajemnicza i dostępna tylko dla kilku gości.

Niezwykle rzadko pozwalasz komuś wejść do twojej świątyni. Tak powinno być. Jeśli zacznie przechodzić przez nią tłum, świątynia przestanie być świątynią. Może stać się poczekalnią na lotnisku, ale nie może być świątynią. Tylko czasami, w wyjątkowych sytuacjach pozwalasz komuś do siebie wejść. Na tym polega miłość.

ZAWSZE ŻYLIŚMY POŚRÓD INNYCH. Od chwili gdy dziecko opuści łono matki, przestaje być samo – jest z matką, z rodziną, z przyjaciółmi, z innymi ludźmi. Krąg kolegów, znajomych, przyjaciół powiększa się i zacieśnia wokół dziecka.

To nazywamy życiem. A im więcej jest ludzi wokół ciebie, tym bogatsze wydaje ci się twoje życie.

Gdy zaczniesz poruszać się do wewnątrz, wszystko to blednie, cały tłum zacznie znikać. Pożegnasz się ze wszystkimi, nawet z najbliższymi przyjaciółmi, z kochankiem. Musisz się z nimi pożegnać. Nadchodzi moment, gdy nawet twój kochanek nie może być z tobą. Jest to chwila ponownego wejścia w taką samą przestrzeń jak ta, w której byłeś podczas pobytu w łonie matki. Ale wtedy nie wiedziałeś, co to tłum, więc nie czułeś się samotny. Dziecko było bardzo szczęśliwe w łonie matki, a ponieważ nie miało porównania, wszystko było przyjemne. Nie wiedziało o innych, nie mogło czuć się samotne. To była jedyna rzeczywistość, jaką znało.

Ale teraz poznałeś tłum, stosunki międzyludzkie, radości i smutki związane z przebywaniem pośród ludzi. Kiedy ponownie poruszasz się do wewnątrz, świat zaczyna znikać, staje się echem, a w końcu nawet echo ginie i człowiek czuje się całkowicie zagubiony. Ale to tylko kwestia interpretacji. Jeśli przesuniesz się jeszcze o krok, nagle odnajdziesz siebie – odnajdziesz siebie po raz pierwszy. Będziesz zaskoczony. Byłeś zagubiony w tłumie; teraz nie jesteś zagubiony. Byłeś zagubiony w dżungli związków, a teraz wróciłeś do domu. Możesz znowu wrócić do świata, ale będziesz zupełnie inną osobą.

Będziesz wchodził w związki, ale nie będziesz zależny; będziesz kochał, ale twoja miłość nie będzie wynikać z potrzeby. Będziesz kochał, ale nie będziesz posiadał; będziesz kochał, ale nie będziesz zazdrosny. A gdy w miłości nie ma zazdrości, chęci posiadania, wtedy staje się ona boska. Będziesz z ludźmi. W rzeczywistości tylko wtedy możesz być z ludźmi, bo dopiero wtedy jesteś; teraz możesz być z ludźmi. Wcześniej nie mogłeś, więc cała koncepcja bycia z nimi była iluzoryczna, była pewnego rodzaju snem.

Jeśli cię nie ma, to jak możesz nawiązywać relacje? Jeśli cię nie ma, to jak możesz być z innymi? To tylko fikcja, którą tworzymy; złudzenie.

> **Jeśli nie jesteś skupiony na swoim wnętrzu, jeśli nie wiesz, kim jesteś, nie możesz współodczuwać. Ludzie nawiązują kontakty, ale są one nietrwałe. Ludziom potrzebne są związki, ponieważ boją się, że zostaną sami i się zagubią. Za wszelką cenę poszukują kogoś do pary.**

Jeśli nie jesteś skupiony na swoim wnętrzu, jeśli nie wiesz, kim jesteś, nie możesz współodczuwać. Wszelkie związki, które tworzysz, nie wiedząc, kim jesteś, to tylko iluzja. Druga osoba myśli, że coś ją z tobą łączy, ty myślisz, że coś cię łączy z nią; ani ty, ani ona nie znacie samych siebie. Więc kto z kim nawiązał relację? Tu nikogo nie ma! Po prostu dwa cienie się bawią. A ponieważ oboje są cieniami, związek nie jest trwały. Oto co ciągle widzę: ludzie nawiązują kontakty, ale są one nietrwałe. Ludziom potrzebne są związki, ponieważ boją się, że zostaną sami i się zagubią. Za wszelką cenę poszukują kogoś do pary. Każdy związek jest lepszy niż żaden; nawet jeśli wypełnia go wrogość – nie ma sprawy; przynajmniej człowiek ma coś do roboty. Twoja tak zwana miłość to nic więcej jak rodzaj wrogości, uprzejmy sposób walki, zmagań, dokuczania, dominowania, cywilizowany sposób na torturowanie się nawzajem.

Udaj się w tę przestrzeń. Zbierz odwagę i idź tam. Nawet jeśli jest ci smutno i czujesz się samotny, nie masz się o co martwić; musisz zapłacić tę cenę. A gdy dotrzesz do swego źródła, wszystko całkowicie się odmieni i wyjdziesz stamtąd jako indywidualność. Stosuję takie rozróżnienie między indywidualnością i osobą: osoba jest czymś sztucznym, indywidualność jest prawdziwa. Osoba, osobowość to maski, cienie; indywidualność to trwałość, rzeczywistość. I tylko indywidualności mogą współodczuwać, mogą kochać – osoby mogą jedynie rozgrywać gierki.

Współodczuwanie, nie związek

Miłość to stan świadomości, w którym jesteś radosny, w którym przepełnia cię taniec. Coś zaczyna wibrować, promieniować z twojego wnętrza; coś zaczyna pulsować wokół ciebie. Zaczyna to dosięgać także innych istot: może dotrzeć do kobiet, do mężczyzn, do skał, drzew i gwiazd.

Gdy mówię o miłości, mam na myśli pewien stan istnienia, nie związek. Zawsze pamiętaj: kiedy używam słowa miłość, używam go w odniesieniu do stanu, a nie do związku. Związek to tylko drobna część miłości. Ale ty pojmujesz miłość jako związek, tak jakby nie była ona niczym więcej.

Związek jest potrzebny tylko dlatego, że nie potrafisz być sam, ponieważ nie jesteś jeszcze zdolny do medytacji. Dlatego zanim zaczniesz kochać, niezbędne jest podjęcie medytacji. Człowiek powinien umieć przebywać w samotności, być sam ze sobą i czuć się z tym wspaniale. Wtedy możesz kochać. Wtedy twoja miłość przestaje być potrzebą i staje się chęcią dzielenia się, przestaje być konieczna. Nie uzależnisz się od osoby, którą kochasz. Będziesz się dzielić – dzielenie się jest piękne.

Ale zwykle dzieje się tak: nie masz w sobie miłości; osoba, którą wydaje ci się, że kochasz, również nie ma w sobie miłości, lecz oboje domagacie się uczucia od siebie. Dwóch żebraków błagających siebie nawzajem! Stąd walka, konflikt, nieustanna kłótnia między kochankami o rzeczy trywialne, nieistotne, głupie! Wiedzą, że to dotyczy drobiazgów, a mimo to wciąż się kłócą.

> Związek jest potrzebny tylko dlatego, że nie potrafisz być sam, ponieważ nie jesteś jeszcze zdolny do medytacji. Dlatego zanim zaczniesz kochać, niezbędne jest podjęcie medytacji.

Podstawową przyczyną kłótni jest to, że mężowi się wydaje, iż nie otrzymuje tego, co powinien otrzymywać; żona także uważa, że nie dostaje tego, co powinna dostawać. Żona czuje się oszukana, mąż również ma wrażenie, że ktoś go oszukał. Gdzie miłość? Nikt nie zawraca sobie głowy dawaniem, wszyscy chcą brać. A gdy wszyscy chcą brać, nikt nic nie dostaje i wszyscy czują, że przegrali, czują się puści, spięci.

Brakuje fundamentu, a ty zacząłeś bez niego budować świątynię. W każdej chwili może ona upaść, zawalić się. I choć dobrze wiesz, ile razy twoja miłość upadła, wciąż robisz dokładnie tak samo.

Żyjesz całkowicie nieświadomie! Nie widzisz, co robisz ze swoim życiem i życiem innych ludzi. Żyjesz mechanicznie, jak robot, powtarzasz stare schematy, doskonale zdając sobie sprawę, że już kiedyś to robiłeś. Wiesz, jaki zawsze był tego skutek, i w głębi wiesz, że tym razem też tak to się skończy, bo przecież nic się nie zmieniło. Przygotowujesz się na ten sam wynik, ten sam upadek.

Jeśli możesz nauczyć się czegoś dzięki miłosnym porażkom, to tego, jak stać się bardziej świadomym, jak zagłębiać się bardziej w medytację. A przez medytację rozumiem umiejętność bycia szczęśliwym, gdy jest się samemu. Bardzo niewielu ludzi potrafi odczuwać błogość bez żadnego powodu – po prostu siedzieć w ciszy i czuć się błogo! Inni uznają ich za szaleńców, ponieważ uważa się, że szczęście musi być wywołane przez innego człowieka. Spotykasz piękną kobietę i jesteś szczęśliwy lub spotykasz przystojnego mężczyznę i jesteś szczęśliwa. Ale siedzieć w pokoju w ciszy i czuć się tak błogo? Musiałeś zwariować! Ludzie zaczną podejrzewać, że bierzesz narkotyki.

Owszem, medytacja jest jak najlepsze LSD! Uwalnia w tobie wrażliwość na bodźce. Uwalnia twój uwięziony splendor. Stajesz się radosny, narasta w tobie taka celebracja, że nie potrzeba ci związku z drugim człowiekiem. Nadal jednak możesz współodczuwać z ludźmi... na tym polega różnica między nawiązywaniem relacji z ludźmi a związkiem.

> **Ale siedzieć w pokoju w ciszy i czuć się tak błogo? Musiałeś zwariować! Ludzie zaczną podejrzewać, że bierzesz narkotyki.**

Związek to rzecz: kurczowo się go trzymasz. Współodczuwanie jest płynne, jest ruchem, procesem. Spotykasz osobę, kochasz ją, ponieważ masz w sobie wiele miłości, którą chcesz się dzielić – a im więcej dajesz, tym więcej masz. Gdy zrozumiesz tę dziwną arytmetykę miłości, że im więcej dajesz, tym więcej masz... To wbrew prawom ekonomii, które obowiązują w zewnętrznym świecie. Kiedy zrozumiesz, że jeśli chcesz mieć więcej miłości, więcej radości, musisz dawać i dzielić się z innymi, wtedy po prostu zaczynasz to robić. A na dodatek jesteś tej osobie wdzięczny, że pozwala ci, abyś dzielił z nim czy z nią swoją radość. Ale to nie jest związek; to jakby nurt rzeczny.

Rzeka przepływa obok drzewa, wita się z nim, odżywia, daje mu wodę... i płynie dalej, tańczy dalej. Nie łapie się kurczowo drzewa. A drzewo nie pyta: „Dokąd idziesz? Jesteśmy małżeństwem! Zanim ode mnie odejdziesz, będzie ci potrzebny rozwód albo przynajmniej separacja! Dokąd idziesz? Jeśli zamierzałaś mnie opuścić, to dlaczego tak pięknie tańczyłaś wokół mnie? Dlaczego mnie karmiłaś?". Nie, drzewo zanurza swoje kwiaty w rzece z ogromną wdzięcznością, a rzeka płynie dalej. Pojawia się wiatr, tańczy dokoła drzewa i leci dalej. A drzewo dzieli się z wiatrem swoim zapachem.

> **Związek to rzecz: kurczowo się go trzymasz. Współodczuwanie jest płynne, jest ruchem, procesem. Spotykasz osobę, kochasz ją, ponieważ masz w sobie wiele miłości, którą chcesz się dzielić – a im więcej dajesz, tym więcej masz.**

Jest to relacja. Jeśli ludzkość kiedykolwiek dorośnie, stanie się dojrzała, tak będzie wyglądać miłość: ludzie będą się spotykać, dzielić, zmieniać miejsca, bez zachłanności, bez dominacji. Inaczej miłość jest tylko zdobywaniem, podbijaniem.

Zaryzykuj bycie uczciwym

Żaden związek nie może się rozwijać, jeśli się kontrolujesz. Jeśli pozostajesz sprytny i starasz się ratować i chronić siebie, to spotykają się jedynie osobowości, a esencje pozostają samotne. Wtedy relacje nawiązuje jedynie twoja maska, nie ty. Gdy dzieje się coś takiego, w związku są cztery osoby zamiast dwóch. Spotykają się dwie fałszywe osoby, a światy dwóch prawdziwych pozostają rozdzielone.

Istnieje zagrożenie, że jeśli staniesz się prawdziwy, nie wiadomo, czy związek będzie w stanie znieść prawdę, autentyczność; czy będzie na tyle silny, aby przetrwać burzę. Istnieje takie ryzyko i to przez nie ludzie bardzo się pilnują. Mówią to, co powinno być powiedziane, robią to, co powinno być zrobione; miłość, w większym lub mniejszym stopniu, zamienia się w obowiązek. Ale wtedy to co prawdziwe pozostaje nienakarmione, esencja nie dostaje pożywienia. Staje się coraz bardziej nieszczęśliwa. Kłamstwa osobowości są ogromnym jarzmem dla esencji, dla duszy. Ryzyko jest rzeczywiste i nie ma gwarancji, ale powiem ci, że warto zaryzykować.

> Jeśli pozostajesz sprytny i starasz się ratować i chronić siebie, to spotykają się jedynie osobowości, a esencje pozostają samotne. Wtedy relacje nawiązuje jedynie twoja maska, nie ty. Kłamstwa osobowości są ogromnym jarzmem dla esencji, dla duszy. Ryzyko jest rzeczywiste i nie ma gwarancji, ale powiem ci, że warto zaryzykować.

W najgorszym wypadku związek się rozpadnie. Ale lepiej jest być osobno i być prawdziwym niż być nieprawdziwym razem. Będąc nieprawdziwym, nie poczujesz satysfakcji. Poczucie błogości nigdy się nie pojawi. Pozostaniesz głodny i spragniony, będziesz się włóczyć w oczekiwaniu na cud.

Zanim stanie się cud, musisz coś zrobić: zacznij być prawdziwy. Zaryzykuj to, że związek może nie być wystarczająco silny, aby to udźwignąć – prawda może okazać się zbyt trudna, nie do zniesienia – ale wtedy związek jest nic nie wart. Więc trzeba przejść ten test.

Dla prawdy zaryzykuj wszystko; inaczej pozostaniesz w stanie odłączenia. Będziesz robił wiele rzeczy, ale żadna z nich nie przydarzy ci się naprawdę. Będziesz zmieniał miejsca, ale nigdy nigdzie nie dotrzesz. Wszystko stanie się absurdalne. To tak jakbyś był głodny i wciąż marzył o jedzeniu – smacznym, przepysznym. Ale marzenia to marzenia; to nie jest prawda. Nie możesz zjeść nieprawdziwego jedzenia. Przez chwilę możesz się oszukiwać, możesz żyć w świecie fantazji, ale sen niczego ci nie da. Odbierze ci wiele rzeczy i nie da niczego w zamian.

Czas twojego życia, w którym używasz sztucznej osobowości, jest zwyczajnie stracony; nigdy nie odzyskasz go z powrotem. Te same chwile mogą być prawdziwe, autentyczne. Nawet najkrótszy moment prawdy jest lepszy niż całe życie w fałszu. Więc nie bój się. Umysł będzie ci mówił, abyś chronił siebie i drugą osobę, abyś zachował bezpieczeństwo. Tak żyją miliony ludzi.

> **Kłamstwa są bardzo słodkie, ale nie są prawdziwe. Przepyszne! Mówisz słodkie nic do swojego kochanka, a on w zamian także szepce ci do ucha słodkie nic.**

Freud przed śmiercią napisał w liście do przyjaciela, że z jego obserwacji życia – a obserwował naprawdę głęboko, nikt nie robił tego tak dogłębnie, tak wytrwale i naukowo jak on – wypływa pewna oczywista konkluzja: że ludzie nie potrafią żyć bez kłamstw. Prawda jest niebezpieczna. Kłamstwa są bardzo słodkie, ale nie są prawdziwe. Przepyszne! Mówisz słodkie nic do swojego kochanka, a on w zamian także szepce ci do ucha słodkie nic. A w międzyczasie życie przepływa wam przez palce i wszyscy zbliżają się coraz bardziej do śmierci.

Zanim nadejdzie śmierć, pamiętaj o jednej rzeczy: przed śmiercią musisz przeżyć miłość. Inaczej żyjesz w próżni, całe twoje życie jest daremne, jest pustynią. Zanim nadejdzie śmierć, upewnij się, że przeżyłeś miłość. Ale jest to możliwe tylko dzięki prawdzie. Więc bądź prawdziwy. Dla prawdy zaryzykuj wszystko, nie chodź z prawdą na żadne kompromisy. Niech twoim podstawowym prawem będzie: nawet jeśli będę musiał poświęcić siebie, moje życie, poświęcę je dla prawdy, ale nigdy nie poświęcę prawdy. Niezwykłe szczęście będzie twoje, doznasz nieziemskiego poczucia błogości.

> **Rozumiem ten problem, problem wszystkich kochanków, że w głębi duszy boją się. Zastanawiają się czy ich związek będzie na tyle silny, aby przyjąć prawdę. Ale jak można wiedzieć to z góry?**

Gdy jesteś prawdziwy, wszystko staje się możliwe. Gdy jesteś sztuczny – stajesz się jedynie fasadą, malowidłem, twarzą, maską – nic nie jest możliwe. Ponieważ przy sztucznym dzieje się tylko to, co sztuczne, a przy prawdziwym to, co prawdziwe.

Rozumiem ten problem, problem wszystkich kochanków, że w głębi duszy boją się. Zastanawiają się czy ich związek będzie na tyle silny, aby przyjąć prawdę. Ale jak można wiedzieć to z góry? Nie ma wiedzy a' priori. Człowiek musi się w coś zagłębić, aby to poznać. Jak chcesz dowiedzieć się, czy przetrwasz burzę i wichurę na zewnątrz, siedząc w domu? Nigdy nie przeżyłeś burzy. Idź i zobacz! Próby i błędy to jedyny sposób. Idź i zobacz – może zostaniesz pokonany, ale nawet jeśli, to staniesz się dzięki temu dużo silniejszy, niż jesteś teraz.

Jeśli ci się nie uda wygrać, to i tak kolejne przeprawy przez burzę wzmocnią cię. Nadchodzi dzień, gdy człowiek zaczyna cieszyć się burzą, zaczyna tańczyć w burzy. Wtedy burza przestaje być wrogiem – to również jest okazja, dzika okazja, żeby być.

Zapamiętaj, że byciu prawdziwym nie towarzyszą wygody, inaczej to przydarzałoby się wszystkim. Istnienie nie pojawia się wtedy, kiedy sobie tego życzysz, bo wszyscy by go doświadczali. Pojawia się tylko wtedy, gdy ryzykujesz, gdy poruszasz się wśród niebezpieczeństw. A miłość to największe niebezpieczeństwo z możliwych. Całkowicie cię pochłania.

Więc nie bój się. Zagłęb się w nią. Jeśli związek przetrwa prawdę, będzie piękny. Jeśli umrze, to również dobrze, ponieważ zakończył się kolejny sztuczny związek i będziesz w stanie zagłębić się w inny, prawdziwszy, bardziej trwały, bardziej dotykający esencji.

> **Jeśli związek przetrwa prawdę, będzie piękny. Jeśli umrze, to również dobrze, ponieważ zakończył się kolejny sztuczny związek.**

Zapamiętaj na zawsze, że nieprawdziwość nigdy nie popłaca; wydaje się, że jest inaczej, ale ona nigdy nie popłaca. Jedynie prawda popłaca, chociaż na początku nigdy nie wydaje się być czymś, co się opłaci. Wydaje się, że prawda wszystko zniszczy. Jeśli spojrzysz na nią z zewnątrz, wydaje się być bardzo niebezpieczna, okropna. Ale tak jest tylko z zewnątrz. Jeśli wejdziesz do środka, prawda okaże się jedyną piękną wartością. A gdy zaczniesz ją pieścić, próbować jej, będziesz chciał więcej i więcej, bo da ci zadowolenie.

Czy zauważyłeś, że łatwiej jest być szczerym wobec obcych? Ludzie podróżujący pociągiem zaczynają rozmawiać z obcymi i mówią o rzeczach, których nigdy nie powiedzieli swoim przyjaciołom, ponieważ rozmowa z obcym jest bezpieczna. Po pół godzinie dojedziesz do swojej stacji i wysiądziesz, zapomnicie, o czym rozmawialiście. Więc to, co powiesz, nie ma znaczenia. Z obcym nic nie ryzykujesz.

Ludzie rozmawiający z obcymi są prawdziwi i otwierają swoje serca. Ale rozmawiając z przyjaciółmi, z krewnymi – ojcem, matką, żoną, mężem, bratem, siostrą – masz nieuświadomione zahamowania. Myślisz sobie: „Nie mów tego, możesz go zranić. Nie rób tego, to się jej nie spodoba. Nie zachowuj się w ten sposób, ojciec jest stary, może doznać szoku". Więc człowiek się kontroluje. Stopniowo prawda zostaje ukryta w piwnicy ciebie i stajesz się bardzo sprytny i przebiegły w operowaniu tym, co fałszywe. Fałszywie się uśmiechasz, uśmiechem, który jest tylko namalowany na twoich ustach. Mówisz miłe rzeczy, które nic nie znaczą. Nudzisz się ze swoim chłopakiem, ze swoim ojcem, ale mówisz „Tak się cieszę, że cię widzę!". A w środku coś krzyczy: „Zostaw mnie w spokoju!". Ale wypowiadasz na głos coś zupełnie innego. Wszyscy robią to samo; nikt nie zdaje sobie z tego sprawy, ponieważ wszyscy płyniemy na tej samej łodzi.

Osoba religijna to taka, która wychodzi z tej łódki i ryzykuje swoje życie. Mówi: „Chcę albo być prawdziwy, albo nie być wcale. Ale nie będę sztuczny".

Spróbuj tego niezależnie od konsekwencji. Nie żyj sztucznie. Związek może być wystarczająco silny. Może wytrzymać prawdę. Wtedy jest bardzo piękny. Jeśli nie potrafisz być szczery wobec osoby, którą kochasz, to kiedy potrafisz? Gdzie? Jeśli nie potrafisz być szczery z osobą, która wydaje ci się, że kocha ciebie – jeśli nawet przy niej boisz się wyznać prawdę, obnażyć się duchowo, jeśli nawet wtedy się chowasz – to gdzie indziej odnajdziesz miejsce, w którym możesz być całkowicie wolny?

Oto co znaczy miłość: przynajmniej w obecności jednej osoby możemy być całkiem nadzy. Wiemy, że ona nas kocha, więc nie zrozumie nas źle. Wiemy, że kocha, więc znika w nas strach. Człowiek może ujawnić wszystko. Człowiek może otworzyć wszystkie drzwi, może zaprosić do środka. Człowiek może zacząć uczestniczyć w istocie drugiej osoby.

> **Ale gdy ktoś staje ci się bliski, gdy pojawia się między wami intymność, wtedy każde słówko zaczyna mieć znaczenie.**

Miłość to uczestniczenie, więc nie bądź fałszywy przynajmniej w stosunku do osoby, którą kochasz. Nie mówię, żebyś poszedł na targ i tam był prawdziwy, ponieważ stworzyłoby to niepotrzebne kłopoty. Ale zacznij od ukochanej, później od rodziny, później od innych ludzi. W końcu nauczysz się, że bycie prawdziwym jest tak piękne, że jesteś gotów wszystko za to oddać. Potem spróbuj na targu, a prawda stanie się twoim sposobem na życie. Alfabet miłości, prawda muszą zostać przyswojone przez twoich najbliższych, ponieważ oni na pewno zrozumieją.

Naucz się języka ciszy

Zwykle pozostawałeś w nieformalnych związkach, teraz, gdy jesteś z kimś naprawdę blisko, paplasz o tysiącu nieistotnych rzeczy, bo słowa nie mają znaczenia – to tylko sposób na wypełnianie czasu.

Ale gdy ktoś staje ci się bliski, gdy pojawia się między wami intymność, wtedy każde słówko zaczyna mieć znaczenie. Wtedy nie potrafisz tak swobodnie bawić się słowami, ponieważ wszystko nabiera ogromnego znaczenia. Pojawią się więc momenty ciszy. Na początku człowiek czuje się dziwnie, po-

75

nieważ nie jest przyzwyczajony do ciszy; myśli, że trzeba coś powiedzieć, bo nie wiadomo, co pomyśli sobie druga osoba.

Gdy zbliżacie się do siebie, gdy pojawia się miłość, nadchodzi cisza i nie macie zbyt wiele do powiedzenia. Tak naprawdę to nie ma o czym mówić – nie ma nic. Z obcym jest dużo spraw, o których można rozmawiać; z przyjaciółmi nie ma o czym. Cisza staje się ciężka, ponieważ nie jesteś do niej przyzwyczajony.

> Język jest potrzebny, ponieważ nie wiemy, jak komunikować się w inny sposób. Gdy uczymy się, jak to robić, stopniowo język przestaje być potrzebny.

Nie znasz muzyki ciszy. Znasz tylko jeden sposób komunikacji, werbalny, za pośrednictwem umysłu. Nie wiesz, jak porozumiewać się za pomocą serca, serce z sercem, w ciszy. Nie wiesz, jak porozumiewać się, po prostu będąc z kimś, przez samą obecność. Rozwijasz się i stary schemat komunikowania przestaje być wystarczający. Będziesz musiał wytworzyć nowe schematy, niewerbalne. Im dojrzalszy staje się człowiek, tym bardziej potrzebuje komunikacji niewerbalnej.

Język jest potrzebny, ponieważ nie wiemy, jak komunikować się w inny sposób. Gdy uczymy się, jak to robić, stopniowo język przestaje być potrzebny. Język jest środkiem przekazu w szkole podstawowej. Prawdziwym środkiem przekazu jest cisza. Więc nie przyjmuj błędnego nastawienia, bo przestaniesz się rozwijać. Przekonanie, że czegoś brakuje, gdy język zaczyna znikać, jest błędne. Pojawiło się w tobie coś nowego i stary schemat nie wystarczy, aby to wypełnić. Rozwijasz się, a twoje ubrania się kurczą. Nie brakuje niczego. Każdego dnia dostajesz coś nowego.

Im więcej medytujesz, tym bardziej będziesz kochał i tym więcej kontaktów będziesz nawiązywał. I w końcu dojdziesz do momentu, w którym tylko cisza pomaga. Więc następnym razem, kiedy z kimś będziesz i nie będziecie komunikować się słowami, a ty zaczniesz odczuwać niepokój – ciesz się. Rozluźnij się i pozwól ciszy komunikować się za ciebie.

Język potrzebny jest do komunikacji z ludźmi, z którymi nie łączy cię uczucie. Komunikacja niewerbalna zachodzi pomiędzy osobami, które łączy miłość. Człowiek ponownie musi stać się niewinny jak dziecko i cichy. Pojawią się gesty – czasem będziecie się uśmiechać i trzymać za ręce, a czasem będziecie po prostu milczeć, patrzeć sobie w oczy, nic nie robić, po prostu być. Obecności spotykają się i łączą, i dzieje się coś, o czym wiecie tylko wy. Tylko wy, którym się to przydarzyło, nikt inny nie będzie tego świadomy. Dzieje się to tak głęboko.

Doceń tę ciszę; czuj ją, smakuj i doprawiaj. Wkrótce zobaczysz, że ma ona swój własny sposób komunikacji; lepszy, wspanialszy, głębszy. Ma w sobie coś świętego; ma w sobie czystość.

3. CZTERY PUŁAPKI

Ludzie czują lęk przed wspaniałą muzyką, piękną poezją, głęboką bliskością. Ludzkie miłości są bardzo powierzchowne. Nie zagłębiają się w istotę drugiej osoby, ponieważ mają słuszne obawy, że w lustrze drugiej osoby odbije się ich własna istota. A jeśli w tej tafli jeziora, w tym lustrze drugiej osoby nie odbije się nic, jeśli okaże się, że cię nie ma – to co wtedy?

Nawyk reagowania

Reakcja jest wynikiem doświadczeń z przeszłości; odpowiedź z teraźniejszości. Reagujesz zgodnie ze schematami. Ktoś cię obraża i natychmiast włącza się stary mechanizm. Gdy w przeszłości ludzie cię obrażali, zachowywałeś się w pewien określony sposób; zawsze tak samo. Nie reagujesz na tę konkretną obrazę i na tę osobę; powtarzasz stare przyzwyczajenie. Nie przyjrzałeś się tej osobie i nowej sytuacji, a przecież to coś zupełnie nowego; działasz jak robot. Masz w sobie określony mechanizm, naciskasz guzik, mówisz: „Ten człowiek mnie obraził" i reagujesz. Reakcja nie dotyczy tej określonej sytuacji, została zaprojektowana wcześniej. W tym człowieku dostrzegłeś przeszłość.

Zdarzyło się kiedyś: Budda siedział pod drzewem i rozmawiał z uczniami. Przyszedł człowiek i napluł mu w twarz. Budda otarł twarz i zapytał: „Co dalej? Co jeszcze chcesz powiedzieć?". Mężczyzna był zakłopotany, ponieważ nigdy nie spodziewał się, że osoba, której napluto w twarz, zapyta: „Co dalej?". Nie zdarzyło mu się to wcześniej. Obrażał ludzi, a oni denerwowali się i reagowali. A jeśli byli tchórzami i byli słabi, uśmiechali się, próbując go obłaskawić. Ale Budda nie zachował się ani tak, ani tak; nie był zły ani obrażony, nie był też tchórzem. Powiedział tylko: „Co dalej?". Mężczyzna nie miał na to gotowej reakcji.

Uczniowie Buddy zdenerwowali się, zareagowali. Najbliższy mu uczeń, Ananda, powiedział: „Tego już za wiele, nie możemy tego tolerować. Kontynuuj nauczanie, a my pokażemy mu, że nie można zachowywać się tak, jak się zachował. Musi ponieść karę. Inaczej wszyscy zaczną się tak zachowywać".

Budda odpowiedział: „Zamilknij. On mnie nie obraził, wy mnie obrażacie. On jest nowy, jest kimś obcym. Musiał słyszeć coś o mnie od innych ludzi. Pewnie myśli, że jestem ateistą, kimś niebezpiecznym, kto sprowadza ludzi z właściwej drogi, rewolucjonistą, demoralizatorem. Mógł wyrobić sobie jakąś opinię na mój temat, ma jakiś obraz tego, kim jestem. Nie napluł na mnie, napluł na ten obraz, na tę opinię. Przecież w ogóle mnie nie zna, jak mógłby napluć na mnie?".

„Jeśli głęboko się nad tym zastanowicie – powiedział – pojmiecie, że opluł swój własny umysł. Nie jestem jego częścią ale sądzę, że ten biedny człowiek ma coś jeszcze do powiedzenia, ponieważ tak się wyraża pewne opinie – oplucie to jeden ze sposobów. Są chwile, gdy czujesz, że słowa tego nie wyrażą. Dzieje się tak w stanie głębokiej miłości, w wielkim gniewie, w nienawiści, w modlitwie. Zdarzają się chwile takiego napięcia, że język jest bezsilny. Wtedy musisz coś zrobić. Gdy jesteś bardzo zakochany, całujesz ukochaną osobę lub obejmujesz. Co to oznacza? Chcesz jej coś powiedzieć. Gdy jesteś zdenerwowany, uderzasz drugą osobę, plujesz na nią. W ten sposób także coś wyrażasz. Potrafię zrozumieć tego człowieka. Musi mieć coś więcej do powiedzenia, dlatego pytam: „Co dalej?".

Ten człowiek był zaskoczony jeszcze bardziej niż uczniowie! Budda powiedział do uczniów: „Jestem bardziej obrażony przez was, ponieważ wy mnie znacie, żyjecie ze mną już od wielu lat, a wciąż reagujecie".

Zaskoczony, zakłopotany mężczyzna wrócił do domu. Przez całą noc nie mógł spać. Gdy zobaczysz Buddę, spokojny zwyczajny sen będzie dla ciebie trudny, a nawet niemożliwy. To doświadczenie nie pozwalało mu zmrużyć oka. Nie potrafił wyjaśnić sobie tego, co się stało. Pocił się i drżał. Nigdy nie spotkał takiego człowieka; ten człowiek zniszczył w nim całą życiową wiedzę, wszystkie schematy, całą przeszłość.

Rano udał się do Buddy, rzucił mu się do stóp. Budda znów go zapytał: „Co dalej? To również sposób na wypowiedzenie czegoś, czego nie można przekazać słowami. Gdy zjawiasz się i dotykasz moich stóp, mówisz coś, czego nie da się powiedzieć zwyczajnie, coś, dla czego wszystkie słowa są zbyt małe, nie mogą tego udźwignąć". Następnie zwrócił się do swojego ucznia: „Spójrz Ananda, ten człowiek znów tu jest i usiłuje coś powiedzieć. Jest przepełniony głębokimi emocjami".

Człowiek spojrzał na Buddę i powiedział: „Przebacz mi to, co zrobiłem wczoraj".

Budda powiedział: „Przebaczyć? Ale ja nie jestem tym samym człowiekiem, któremu to wczoraj zrobiłeś. Ganges płynie dalej; nie jest dwa razy tą samą rzeką. Każdy człowiek jest jak rzeka. Człowieka, na którego naplułeś, już nie ma – wyglądam jak on, ale nie jestem nim, przez te dwadzieścia cztery godziny dużo się wydarzyło! Tak wiele wody w rzece zdążyło przepłynąć. Więc nie mogę ci wybaczyć, ponieważ nie mam do ciebie żalu.

Ty również jesteś kimś nowym. Widzę, że nie jesteś tą samą osobą, która była tu wczoraj, ponieważ tamten człowiek był wściekły – był gniewem! Pluł, a ty padasz mi do stóp, dotykasz ich – jak możesz być tym samym człowiekiem? Nie jesteś nim, więc zapomnijmy o tamtym zdarzeniu. Tamtych ludzi – człowieka, który pluł, i człowieka oplutego – już nie ma. Podejdź bliżej. Porozmawiajmy o czymś innym".

> Jeśli twoja reakcja wypływa z przyzwyczajeń, z umysłu, wtedy nie odpowiadasz. Odpowiadanie to bycie żywym w danym momencie, tu i teraz.

To jest odpowiedź.

Reakcja wypływa z przeszłości. Jeśli twoja reakcja wypływa z przyzwyczajeń, z umysłu, wtedy nie odpowiadasz. Odpowiadanie to bycie żywym w danym momencie, tu i teraz. Odpowiedź to coś pięknego, odpowiedź to życie. Reakcja jest martwa, brzydka, zepsuta; jest jak zwłoki. W dziewięćdziesięciu dziewięciu przypadkach reagujesz i nazywasz to odpowiedzią. Rzadko ci się zdarza naprawdę odpowiadać; ale gdy tak się stanie, udaje ci się wniknąć głębiej. Gdy tak się stanie, otwierają się drzwi nieznanego.

Wróć do domu i spójrz na swoją żonę świeżym okiem, nie z perspektywy swojej reakcji. Widzę ludzi, którzy żyli z kobietami trzydzieści, czterdzieści lat i przestali na nie patrzeć! Każdy z nich wie, że mieszka z tą „starą kobietą", wydaje mu się, że ją zna. A przecież przez cały ten czas rzeka płynęła dalej. Ta kobieta nie jest tą samą osobą, z którą brałeś ślub. Tamto to przeszłość, tamta kobieta już nie istnieje; to jest całkiem inna kobieta.

> Ale czy ostatnio patrzyłeś na żonę, na matkę, na ojca, na przyjaciół? Wróć tam i spójrz ponownie, świeżym wzrokiem, tak jakbyś patrzył na kogoś obcego. Będziesz zaskoczony.

W każdej chwili rodzisz się na nowo. W każdej chwili umierasz i rodzisz się. Ale czy ostatnio patrzyłeś na żonę, na matkę, na ojca, na przyjaciół? Przestałeś to robić, ponieważ wydaje ci się, że są oni starzy i nie ma sensu na nich patrzeć. Wróć tam i spójrz ponownie, świeżym wzrokiem, tak jakbyś patrzył na kogoś obcego. Będziesz zaskoczony tym, jak bardzo ta stara kobieta się zmieniła.

Każdego dnia zachodzą niezwykłe zmiany. Ciągłe zmiany. Wszystko płynie, nic nie stoi w miejscu. Ale umysł to coś martwego, coś zamrożonego. Jeśli twoje zachowanie wypływa z zamrożonego umysłu, to twoje życie jest martwe. Nie żyjesz naprawdę; znajdujesz się w grobie.

Odrzuć reakcję. Dopuszczaj coraz więcej odpowiedzi. Odpowiadanie to bycie odpowiedzialnym. Odpowiadanie to bycie wrażliwym. Wrażliwym tu i teraz.

Trzymanie się poczucia bezpieczeństwa

Żaden związek nie może być bezpieczny. To nie leży w jego naturze. Jeśli jakiś związek jest bezpieczny, to traci całą atrakcyjność. Ten problem od zawsze nurtuje umysł. Jeśli chcesz cieszyć się związkiem, to musi być on pozbawiony poczucia bezpieczeństwa. Jeśli sprawisz, że będzie bezpieczny, całkowicie bezpieczny, wtedy nie możesz się nim cieszyć, bo straci swój urok, całą atrakcyjność. Umysł jest pogrążony w chaosie i sprzecznościach, ponieważ nie satysfakcjonuje go żadne z rozwiązań. Umysł chce związku, który będzie żywy i bezpieczny, ale to niemożliwe, ponieważ osoba pełna życia, związek przepełniony życiem, wszystko, co jest żywe, musi być nieprzewidywalne. Nie da się przewidzieć tego, co zdarzy się za chwilę. Dzięki nieprzewidywalności dany moment staje się niezapomniany.

> Osoba pełna życia, związek przepełniony życiem, wszystko, co jest żywe, musi być nieprzewidywalne. Nie da się przewidzieć tego, co zdarzy się za chwilę.

Staraj się jak najpełniej przeżyć każdą chwilę, ponieważ kolejna może nigdy nie nadejść. Może cię już nie być; drugiej osoby może już nie być. Albo oboje możecie nadal być, ale nie będzie już waszego związku. Wszystko jest możliwe. Przyszłość jest zawsze otwarta, przeszłość jest zamknięta. A pomiędzy nimi znajduje się teraźniejszość, chwila obecna, pulsująca, rozedrgana. Tak wygląda życie. Drżenie i dygotanie, wahanie, brak pewności, zagadkowość – to wszystko towarzyszy tym, którzy naprawdę żyją.

Przeszłość jest zamknięta. Wszystko już się stało i niczego nie da się zmienić, wszystko jest zamknięte. Przyszłość jest całkowicie otwarta, niczego nie da się przewidzieć. A pomiędzy nimi dwiema znajduje się teraźniejszość, jedną nogą tkwi ona w przeszłości, drugą w teraźniejszości. Stąd bierze się wieczny podział umysłu, dychotomia. Umysł wciąż jest rozbity, schizofreniczny.

Musisz zrozumieć, że tak jest i nie da się z tym nic zrobić. Jeśli chcesz mieć bezpieczny związek, będziesz musiał pokochać martwego człowieka; ale wtedy nie sprawi ci to przyjemności. Właśnie tak dzieje się z kochankiem, kiedy staje się on mężem – mąż to martwy kochanek, żona to martwa kochanka. Przeszłość jest wszystkim i decyduje o przyszłości. Tak naprawdę, to jeśli jesteś żoną, nie masz przyszłości – przeszłość będzie się powtarzać, zamkną się wszystkie drzwi. Jeśli jesteś mężem, nie masz przyszłości, jesteś ograniczony, uwięziony.

> **Spójrz na twarze mężów i żon. Odnaleźli bezpieczeństwo – tak bardzo poszukiwane bezpieczeństwo – i teraz wszystko znajduje się na ich bankowym koncie. Ale przez to ginie cały urok, cała poezja; nie ma już romansu.**

Każdy nieustannie poszukuje bezpieczeństwa, ale gdy już je znajdzie, szybko go ono męczy. Spójrz na twarze mężów i żon. Odnaleźli bezpieczeństwo – tak bardzo poszukiwane bezpieczeństwo – i teraz wszystko znajduje się na ich bankowym koncie, a prawo, sąd, urzędnicy pomagają sprawić, aby wszystko było jak najbardziej bezpieczne. Ale przez to ginie cały urok, cała poezja; nie ma już romansu. Teraz są oni martwymi ludźmi – powtarzają przeszłość, żyją wspomnieniami.

Posłuchaj rozmów żon i mężów. Żony skarżą się, że mężowie już ich nie kochają, wspominają przeszłość, mówią o miesiącu miodowym i innych rzeczach. Co za nonsens! Wciąż jesteście żywi. Obecna chwila może być waszym miesiącem miodowym. Można żyć obecną chwilą, ale ty wspominasz przeszłość, próbujesz ją powtórzyć.

> **Jeśli chcesz kogoś kochać, zrób to, kochaj tę osobę tu i teraz. Kochaj. Ponieważ nikt nie wie, co stanie się za moment.**

Bezpieczeństwo nigdy nie przynosi satysfakcji – a brak bezpieczeństwa wiąże się ze strachem, że związek może się zakończyć. Ale jest to część pozostawania żywym. Wszystko można stracić, nic nie jest pewne i właśnie dlatego wszystko jest tak piękne. I właśnie dlatego nie odkładaj niczego na później – jeśli chcesz kogoś kochać, zrób to, kochaj tę osobę tu i teraz. Kochaj. Ponieważ nikt nie wie, co stanie się za moment. W następnej chwili możesz nie mieć już szansy na miłość, a wtedy będziesz do końca życia żałować. Mogłeś kochać, mogłeś żyć. Wtedy człowieka dopadają wyrzuty sumienia, żal, głębokie poczucie winy, czuje się tak, jakby popełniał samobójstwo.

Życie nie jest pewne. Nikt nie może sprawić, aby stało się pewne. Nie ma na to sposobu. To dobrze; inaczej byłoby martwe. Życie jest kruche, delikatne, zawsze zmierza w stronę tego co nieznane; na tym polega jego piękno. Człowiek musi znaleźć w sobie odwagę, śmiałość. Aby poruszać się przez życie, trzeba być hazardzistą. Więc nim bądź. Żyj chwilą, żyj całkowicie. Kiedy nadejdzie kolejna chwila, zobaczymy co dalej.

Będziesz tam, aby się z nią zmierzyć. Byłeś w stanie zmierzyć się z przeszłością i będziesz w stanie zmierzyć się z przyszłością. Jesteś do tego zdolny, bo już to robiłeś.

Więc problemem nie jest to, czy kochana osoba pojawi się, gdy jej pragniesz, czy nie. Chodzi o to, że jeśli będzie w pobliżu, kochaj ją. Nie trać chwili na rozmyślanie i zamartwianie się tym, co przyniesie przyszłość; to graniczy z samobójstwem. Nie poświęcaj nawet cienia uwagi temu, co może się zdarzyć w przyszłości, ponieważ nie masz na to wpływu, to zwykła strata energii. Kochaj tego człowieka i pozwól się kochać.

Oto co myślę: jeśli żyjesz całkowicie daną chwilą, to istnieje ogromna szansa na to, że w chwili kolejnej druga osoba nadal będzie blisko. Mówię, że jest na to szansa – nie mogę ci tego zagwarantować. Ale jest ona ogromna, ponieważ następna chwila wypłynie z obecnej. Jeśli kochałeś tę osobę, jeśli czuje się ona z tobą szczęśliwa, jeśli związek jest piękny, jest jak ekstaza, to czemu miałaby ona odejść?

> **Jeśli żyjesz całkowicie daną chwilą, to istnieje ogromna szansa na to, że w chwili kolejnej druga osoba nadal będzie blisko. Mówię, że jest na to szansa – nie mogę ci tego zagwarantować. Ale jest ona ogromna, ponieważ następna chwila wypłynie z obecnej.**

Tak naprawdę, zamartwiając się na zapas, skłaniasz tę osobę do odejścia. Jeśli straciłeś daną chwilę, to kolejna wypłynie z tej straty; będzie zepsuta. I w taki oto sposób człowiek zaczyna stawać się sam dla siebie przewidywalny. Zaczynasz wypełniać własne przepowiednie. Za chwilę powiesz: „Tak, od samego początku mówiłem, że ten związek nie przetrwa. No i miałem rację". Czujesz się wtedy dobrze; czujesz się sprytny i mądry. A tak naprawdę byłeś głupi, ponieważ w rzeczywistości niczego nie przewidziałeś. Sprawiłeś, że tak się stało, ponieważ zmarnowałeś czas, zmarnowałeś szansę, którą ci dano. Więc kochaj tę osobę i zapomnij o przyszłości. Odrzuć nonsens rozmyślania o niej. Jeśli możesz kochać, kochaj. Jeśli nie możesz kochać, zapomnij i poszukaj kogoś innego. Ale nie trać czasu.

Nie chodzi tu o tego czy innego kochanka, lecz o samą miłość. Miłość daje spełnienie, ludzie tylko w tym pomagają. Ale wszystko zależy od ciebie, to, co robisz z jedną osobą, będziesz też robić z inną.

> **Zaczynasz wypełniać własne przepowiednie. Za chwilę powiesz: „Tak, od samego początku mówiłem, że ten związek nie przetrwa. No i miałem rację". Czujesz się wtedy dobrze; czujesz się sprytny i mądry. Jeśli sprawiasz, że druga osoba jest szczęśliwa, to dlaczego miałaby ona odejść? Ale jeśli unieszczęśliwiasz ją, to dlaczego miałaby zostać?**

Jeśli sprawiasz, że druga osoba jest szczęśliwa, to dlaczego miałaby ona odejść? Ale jeśli unieszczęśliwiasz ją, to dlaczego miałaby zostać? Jeśli ją unieszczęśliwiasz, to sam jej pomogę od ciebie odejść! Ale jeśli dajesz jej szczęście, to nikt nie sprawi, że odejdzie; nie miałoby to sensu. Rzuci ci do stóp cały świat.

Więc stań się weselszy. Wykorzystaj czas, który masz – nie ma potrzeby myśleć o przyszłości; teraźniejszość wystarczy. Od teraz zacznij żyć chwilą. Wykorzystuj ją nie na zamartwianie się, lecz na życie. Najdrobniejsze rzeczy mogą być piękne. Odrobina troski, dzielenie się, oto czym jest życie.

KAŻDY CZŁOWIEK STWARZA PEWIEN RODZAJ PO-
CZUCIA BEZPIECZEŃSTWA, nieświadomy tego, że jest ono
więzieniem. Ludzie otoczeni są przez różne niebezpieczeństwa; stąd naturalne pragnienie stworzenia systemu obrony.
Gdy uświadamiasz sobie zagrożenia, wśród których żyjesz,
staje się on coraz bardziej rozbudowany. Twoja cela więzienna
kurczy się; zaczynasz żyć pod taką ochroną, że życie staje się
niemożliwe.

> **Jedynie martwi, leżący w grobach są całkowicie
> bezpieczni. Nikt nie może ich skrzywdzić, nie
> zdarzy im się nic złego.**

Jest ono możliwe jedynie przy braku gwarancji bezpieczeństwa. Jest to podstawowa rzecz, którą trzeba zrozumieć.
Esencją życia jest brak bezpieczeństwa. Próbując się ochro-
nić, niszczysz swoje życie. Pełne zabezpieczenie to śmierć;
jedynie martwi, leżący w grobach są całkowicie bezpieczni.
Nikt nie może ich skrzywdzić, nie zdarzy im się nic złego.
Nie grozi im śmierć, są już martwi. Nic więcej im się nie
przydarzy.

Czy chcesz być bezpieczny na cmentarzu? Bezwiednie
wszyscy do tego dążą. Innymi drogami, ale cel jest ten sam.
Używają pieniędzy, władzy, prestiżu, dostosowują się do społeczeństwa, chcą należeć do zgrupowania – religijnego, politycznego – są członkami rodzin, narodów. Czego szukają?
Otacza cię nieznany strach. Zaczynasz tworzyć pomiędzy
nim a sobą jak najwięcej ścian. Ale te same bariery obronią
cię także od bycia żywym. Gdy to zrozumiesz, poznasz znaczenie *sannyas*. To pogodzenie się z faktem, że życie jest niebezpieczne, odrzucenie obrony i pozwolenie na to, by życie
przejęło kontrolę. To ryzykowny krok, ale ci, którzy odważą

się go postawić, zostaną nagrodzeni, ponieważ tylko oni będą naprawdę żyli. Inni jedynie przetrwają.

Jest różnica między trwaniem a życiem. Trwanie to wleczenie się od kołyski aż po grób w oczekiwaniu na śmierć. Czego miałbyś się bać, trwając pomiędzy kołyską a grobem? Śmierć jest pewna... a ty nie masz nic do stracenia. Pojawiasz się bez niczego. Twoje lęki to tylko wymysły. Nie masz nic do stracenia, a pewnego dnia wszystko, co masz, zniknie. Jeśli śmierć nie byłaby czymś pewnym, wtedy ochrona miałaby sens. Jeśli mógłbyś uniknąć śmierci, wtedy tworzenie barier między nią i tobą byłoby całkowicie słuszne. Ale nie możesz jej uniknąć. Śmierć istnieje – zaakceptowana traci całą swoją moc, nie da się z nią niczego zrobić. Jeśli nie da się niczego zrobić, to po co się przejmować?

To powszechnie znany fakt, że żołnierze idący na wojnę drżą ze strachu. W głębi duszy wiedzą, że nie wszyscy z niej wrócą. Nie wiadomo, kto wróci, a kto nie, ale każdy obawia się, że to może być on. Psycholodzy zaobserwowali dziwne zjawisko: gdy żołnierze docierają na front, cały ich strach znika. Zaczynają walczyć z radością. Gdy śmierć zostanie zaakceptowana, jej żądło znika. Gdy żołnierze zrozumieją, że w każdej chwili może ich ona spotkać, zapominają o niej. Przebywałem z wieloma żołnierzami, miałem wielu przyjaciół w wojsku i dziwne było to, że byli radośni i zrelaksowani. W każdej chwili może nadejść rozkaz: „Włącz się do walki", ale oni grają w karty, w golfa, piją, tańczą. Korzystają z życia w pełni.

Odwiedzał mnie jeden z generałów. Zapytałem go: „Niemal każdego dnia przygotowujesz się na śmierć. Jak ci się udaje pozostać tak szczęśliwym?".

Odpowiedział: „Cóż innego mam robić? Śmierć jest pewna".

Gdy zaakceptujemy to, co pewne, co nieuniknione, wtedy czemu nie zacząć tańczyć zamiast płakać, skarżyć się, wlec się w stronę grobu? Dlaczego nie wykorzystać maksymalnie czasu, jaki masz między kołyską a grobem? Dlaczego każdej chwili nie doprowadzać do takiego maksimum, że jeśli nawet kolejna chwila nie nadejdzie, to nie będzie ci żal? Możesz umrzeć radośnie, ponieważ radośnie żyłeś.

Ale bardzo niewielu ludzi rozumie, jak działa ich wewnętrzna psychologia. Zamiast żyć, zaczynają się ochraniać. Energia, którą można było wykorzystać do stworzenia piosenki czy do tańca, zostaje wykorzystana do pomnażania pieniędzy, zdobywania większej władzy, ambicji, bezpieczeństwa. Energia, która mogła być cudownym kwiatem miłości, staje się niewolą małżeństwa.

> **Czemu nie zacząć tańczyć zamiast płakać, skarżyć się, wlec się w stronę grobu? Dlaczego każdej chwili nie doprowadzać do takiego maksimum, że jeśli nawet kolejna chwila nie nadejdzie, to nie będzie ci żal?**

Małżeństwo jest zabezpieczone – przez prawo, konwencję społeczną, przez twoją koncepcję tego, co znaczy być szanowanym, i strach przed tym, co powiedzą ludzie. Każdy boi się każdego, więc ludzie udają. Miłość znika – nie jest zależna od ciebie. Pojawia się jak bryza i jak bryza odchodzi. Ci, którzy są świadomi i czujni, tańczą z nią, rozkoszują, doceniają jej chłód i zapach. A gdy znika, nie są smutni i nie jest im przykro. Była ona podarunkiem od nieznanego. Kiedyś znów może się pojawić. Poczekają – a ona będzie się zjawiać. Powoli uczą się głębokiej cierpliwości i oczekiwania. Ale przez wieki większość ludzi robiła zupełnie na odwrót. Przerażeni możliwością tego, że bryza może uciec, zamykali wszystkie drzwi, wszystkie okna, zatykali wszelkie szczeliny. Oto ich przygotowania do uzyskania poczucia bezpieczeństwa; nazywamy to małżeństwem. Teraz są zszokowani – po zamknięciu wszystkich okien i drzwi, po zatkaniu najmniejszych szczelin, zamiast cudownego, chłodnego, aromatycznego powietrza mają powietrze gęste i martwe! Każdy to odczuwa, ale przyznanie się, że przez schwytanie bryzy zniszczyło się jej piękno, wymaga odwagi.

W życiu niczego nie da się uchwycić i zniewolić. Człowiek musi mieć przestrzeń, musi mieć możliwość przeżywania różnych doświadczeń, musi być za nie wdzięczny tak długo, póki trwają. Wdzięczny, ale nie przerażony jutrem. Jeśli dzień dzisiejszy przyniósł piękny poranek, piękny wschód słońca, pieśni ptaków, cudowne kwiaty, to po co martwić się jutrem? Jutro będzie kolejnym dziś. Być może wschód słońca będzie miał inne kolory. Być może ptaki zmienią swoje pieśni, może przyjdą deszczowe chmury i taniec deszczu. Ale ma to swoje piękno, ma swoje wartości odżywcze.

> **W życiu niczego nie da się uchwycić i zniewolić. Człowiek musi mieć przestrzeń, musi mieć możliwość przeżywania różnych doświadczeń, musi być za nie wdzięczny tak długo, póki trwają.**

To dobrze, że rzeczy się zmieniają; że każde popołudnie nie jest takie samo, że dzień nie jest dokładną kopią innego dnia. Coś nowego – to podnieca i dostarcza życiu ekstazy; bez tego człowiek strasznie by się nudził. A ci, którzy sprawili, że ich życia są całkowicie bezpieczne, są znudzeni. Są znudzeni swoimi żonami, znudzeni swoimi dziećmi, znudzeni przyjaciółmi. Nudy doświadczają miliony ludzi, mimo iż na zewnątrz starają się zamaskować to uśmiechem.

Fryderyk Nietzsche mówił: „Nie myślcie, że jestem szczęśliwym człowiekiem. Uśmiecham się, żeby powstrzymać łzy.

Pracuję nad uśmiechem, żeby nie płakać. Jeśli się nie uśmiechasz, napłyną łzy". Ludzi nauczono absolutnie błędnej postawy: ukrywaj łzy, zawsze pozostawaj na dystans, trzymaj innych co najmniej na odległość wyciągniętej ręki. Nie dopuszczaj ludzi zbyt blisko siebie – mogliby poznać twoją wewnętrzną rozpacz, nudę, cierpienie, mogliby dowiedzieć się, jak bardzo jesteś chory.

Cała ludzkość choruje z bardzo prostego powodu, nie wpisaliśmy niebezpieczeństw, jakie niesie ze sobą życie, w naszą religię. Nasi bogowie dają nam poczucie bezpieczeństwa; tak samo nasze cnoty, nasza wiedza, związki. Tracimy całe życie na zbieranie kolejnych ograniczających nas zabezpieczeń. Nasze cnoty, nasze wyrzeczenia to sposoby na bycie bezpiecznym, nawet po śmierci. To jak zakładanie konta bankowego w innym świecie.

Ale w międzyczasie wspaniałe życie przepływa ci między palcami. Drzewa są piękne, ponieważ nie znają strachu związanego z brakiem bezpieczeństwa. Dzikie zwierzęta są tak majestatyczne, ponieważ nie wiedzą o istnieniu śmierci, o istnieniu niebezpieczeństwa. Kwiaty potrafią tańczyć w słońcu i w deszczu, ponieważ nie martwią się tym, co stanie się wieczorem. Ich płatki zwiędną; pojawiły się z jakiegoś nieznanego źródła i tak samo kiedyś znikną. Ale w międzyczasie, pomiędzy pojawieniem się i zniknięciem, masz wybór i albo możesz tańczyć, albo rozpaczać.

Osoba autentyczna odrzuca ideę bezpieczeństwa i żyje niebezpiecznie, ponieważ taka jest natura życia. Nie możesz jej zmienić. To, czego nie możesz zmienić, zaakceptuj – zaakceptuj z radością. Nie musisz walić głową w mur, po prostu skorzystaj z drzwi.

Walka z cieniem

Przypowieść Chuanga Tzu:

Był sobie człowiek, któremu tak bardzo przeszkadzał widok własnego cienia i odgłos własnych kroków, że postanowił się ich pozbyć.

Metodą, którą postanowił zastosować, była ucieczka. Wstał więc i zaczął biec, ale za każdym razem, gdy postawił stopę na ziemi, słyszał kolejny odgłos kroku, a cień, bez najmniejszych trudności, trzymał się tuż obok niego.

Swoją porażkę usprawiedliwiał tym, że nie biegł wystarczająco szybko. Więc zaczął biec szybciej i szybciej, bez zatrzymywania, aż w końcu padł martwy.

Nie uświadomił sobie, że jego cień zniknąłby w zacienionym miejscu, a odgłos jego kroków umilkłby, gdyby usiadł w bezruchu.

Człowiek sam wywołuje zamieszanie, ponieważ odrzuca, potępia i nie akceptuje siebie. Powstaje wtedy łańcuch niejasności, wewnętrznego chaosu i cierpienia. Dlaczego nie akceptujesz siebie takim, jaki jesteś? Co w tym złego? Cała egzystencja cię takim akceptuje; tylko nie ty.

Masz do osiągnięcia jakiś ideał. Ideał, oczywiście, zawsze dotyczy przyszłości; żaden ideał nie może dotyczyć teraźniejszości. A przyszłość jest nigdzie; jeszcze się nie narodziła. Ale przez ten ideał ty również żyjesz przyszłością, która nie jest niczym innym jak snem. Przez ideał nie potrafisz żyć tu i teraz. To przez niego potępiasz siebie.

Wszystkie ideologie, wszystkie ideały, wywołują potępienie, ponieważ wytwarzają w umyśle określony obraz. A gdy zaczniesz się z nim porównywać, zawsze będziesz czuć, że czegoś ci brakuje, że czegoś nie masz. Niczego ci nie brak. Jesteś doskonały na tyle, na ile jest to możliwe.

> Wszystkie ideologie, wszystkie ideały, wywołują potępienie, ponieważ wytwarzają w umyśle określony obraz. A gdy zaczniesz się z nim porównywać, zawsze będziesz czuć, że czegoś ci brakuje.

Postaraj się to zrozumieć; wtedy pojmiesz przypowieść Chuanga Tzu. Jest to jedna z najpiękniejszych przypowieści, jakie kiedykolwiek opowiadano. Doskonale zgłębia ona mechanizm funkcjonowania ludzkiego umysłu. Po co nosisz w głowie ideały? Dlaczego nie wystarczy ci to, kim jesteś? Dlaczego nie czujesz się jak bogowie tu i teraz? Kto ci przeszkadza? Kto stoi ci na drodze? Dlaczego nie potrafisz cieszyć się i odczuwać błogości w tej konkretnej chwili? Co jest przeszkodą?

Przeszkoda pojawia się właśnie z powodu ideału. Jakże mógłbyś się cieszyć? Jesteś przecież wypełniony gniewem; wpierw się go pozbądź. Jak mógłbyś czuć się błogo? Jesteś przepełniony seksualnością, musisz najpierw się jej pozbyć. Jak mógłbyś, niczym bogowie, cieszyć się każdą chwilą? Wypełnia cię zachłanność, pasja, gniew, najpierw musisz się ich pozbyć. Wtedy poczujesz się cudownie.

Oto jak powstaje ideał, który jest powodem twojego samopotępienia. Porównuj się z ideałem, a nigdy nie będziesz doskonały. To niemożliwe. Jeśli mówisz „jeśli", błogość staje się niemożliwa, ponieważ „jeśli" to największa przeszkoda.

Mówiąc sobie: „Jeśli zostaną spełnione te warunki, poczuję się wspaniale", nigdy nie doczekasz się ich spełnienia. A po drugie, nawet jeśli warunki jednak się spełnią, to do tego czasu stracisz umiejętność celebrowania i radowania się. A co więcej, gdy je wypełnisz – jeśli kiedykolwiek ci się uda, bo tych warunków nie da się wypełnić – twój umysł stworzy kolejne ideały.

Oto w jaki sposób, przez lata spędzone razem, marnowaliście życie. Tworzyłeś ideał i chciałeś nim być; potem czułeś, że jesteś kimś gorszym, potępiałeś się. Ponieważ twój umysł marzy, twoja rzeczywistość zostaje potępiona; to marzenia wprowadzają całe zamieszanie.

Proponuję, byś robił odwrotnie. Bądź jak bogowie, w tej konkretnej chwili. Pozwól sobie na złość, seks, zachłanność – celebruj życie. Stopniowo zaczniesz odczuwać coraz większą celebrację i coraz mniejszy gniew; więcej błogości i mniej zachłanności; więcej radości i mniej seksu. Oznaczać to będzie, że wszedłeś na właściwą ścieżkę. Nie inaczej. Gdy człowiek potrafi całym sobą cieszyć się z życia, znika wszystko, co jest złe. Ale jeśli w pierwszej kolejności próbujesz ustalić sposoby na pozbycie się tego, co złe, nigdy ci się to nie uda.

To jak walka z ciemnością. Twój dom wypełniony jest ciemnością, a ty pytasz: „Jak mam zapalić świecę? Przecież zanim to zrobię, ciemność musi zniknąć". Tak właśnie robiłeś. Uważasz, że najpierw musi zniknąć zachłanność, dopiero później pojawi się ekstaza. Jesteś głupcem! Mówisz, że najpierw ma zniknąć ciemność, a wtedy będziesz mógł zapalić świecę. Tak jakby ciemność mogła cię powstrzymać. Ciemność jest bezcielesna. Jest niczym, nie ma masy. Jest nieobecnością, a nie obecnością. Jest brakiem światła – zapal je, a ciemność zniknie.

Celebruj, stań się radosnym płomieniem, a to co złe, zniknie. Gniew, zachłanność, seks i wiele temu podobnych odczuć to nie rzeczy materialne; są jedynie brakiem błogiego, ekstatycznego życia.

Ponieważ nie potrafisz się cieszyć, odczuwasz złość. To nie tak, że to ktoś inny sprawia, że jesteś zły; jesteś nieszczęśliwy, ponieważ nie potrafisz się cieszyć. Właśnie dlatego odczuwasz złość. Inni są tylko wymówką. Ponieważ nie potrafisz celebrować, miłość nie może ci się przydarzyć – stąd seks. Jest to dobre miejsce dla powstawania cieni. Umysł mówi: „Zniszcz to, a wstąpi w ciebie Bóg". Jest to jedna z najbardziej wierutnych bzdur wymyślonych przez ludzkość, zapewne już w zamierzchłych czasach, a nęka każdego z nas.

Trudno wam wyobrazić sobie, że nawet w tej właśnie chwili jesteście podobni do bogów; zapytam więc, czego wam brakuje? Czego nie macie? Żyjecie, oddychacie, jesteście świadomi, czego więcej potrzeba? W tej konkretnej chwili bądźcie jak bogowie. Nawet jeśli odczuwacie, że jest to zaledwie „jak bogowie", nie przejmujcie się. Nawet jeśli ktoś pomyśli: „Tylko udaję, że jestem bogiem", udawaj – nie przejmuj się. Zacznijcie od bycia „jak" bogowie, a wkrótce rzeczywistość sama się dostosuje, ponieważ to w niej istniejecie. Gdy zaczniesz egzystować jako bóg, całe nieszczęście, zagubienie, ciemność znikną. Stań się światłem, bez żadnych warunków, które najpierw należy spełnić.

Teraz wejdę w tę piękną przypowieść:

Był sobie człowiek, któremu tak bardzo przeszkadzał widok własnego cienia i odgłos własnych kroków, że postanowił się ich pozbyć.

Pamiętaj, że ty też jesteś jak ten człowiek – ten człowiek istnieje w każdym z was. W ten sposób się zachowywałeś i taka jest twoja logika: uciec od cienia. Temu człowiekowi przeszkadzał widok własnego cienia? Dlaczego? Co jest złego w cieniu? Dlaczego przeszkadza? Ponieważ, jak być może słyszałeś, marzyciele mówią, że bogowie nie mają cienia. Gdy chodzą, nie rzucają cienia. Temu człowiekowi przeszkadzał jego cień właśnie ze względu na to.

Mówi się, że w niebie wschodzi słońce, a bogowie przechadzają się, ale nie rzucają cienia, są transparentni. Ale powiem ci: to tylko marzenie. Nie ma, bo nie może być, miejsca, gdzie istnieje coś, co nie ma cienia. Jeśli coś jest, to musi również mieć cień. Cień może zniknąć jedynie wtedy, gdy czegoś nie ma.

Być – oznacza rzucać cień. Twój gniew, twój seks, twoja żądza – to wszystko są cienie. Ale pamiętaj, że to tylko cienie. Są i jednocześnie ich nie ma; to jest właśnie ich znaczenie. Są niematerialne. Są brakiem. Stoisz, promienie słoneczne opadają na ciebie; przez to, że jesteś, kilka z nich nie może się przedostać. Powstaje zarys, zarys cienia. Jest on tylko brakiem. Zatrzymujesz słońce: właśnie dlatego powstaje cień.

Cień jest niematerialny, ty jesteś. Jesteś materialny; dlatego powstaje cień. Gdybyś był duchem, nie miałbyś cienia. Anioły to właśnie duchy, wyśnione przez ciebie i twoje ideologie, przez ludzi, którzy tworzą ideały. Ten człowiek był zaniepokojony, ponieważ usłyszał gdzieś, że bogowie nie rzucają cienia.

> Co ci tak naprawdę przeszkadza? Jeśli zagłębisz się w siebie, nie odnajdziesz niczego innego poza dźwiękiem własnych kroków.

Był sobie człowiek, któremu tak bardzo przeszkadzał widok własnego cienia i odgłos własnych kroków, że postanowił się ich pozbyć.

Co ci tak naprawdę przeszkadza? Jeśli zagłębisz się w siebie, nie odnajdziesz niczego innego poza dźwiękiem własnych kroków. Dlaczego tak bardzo ci one przeszkadzają? Jesteś materialny, więc musisz wydawać dźwięk; zaakceptuj to. Ale ten człowiek usłyszał opowieść o tym, że bogowie nie rzucają cieni i poruszają się bezszelestnie. Ci bogowie mogą być jedynie wytworami marzeń; istnieją tylko w umyśle. Takie niebo nie istnieje! Wszystko, co żyje, związane jest z dźwiękiem, odgłosem, cieniem. Tak już jest i nie możesz z tym niczego zrobić.

Tak działa natura. Jeśli spróbujesz ją zmienić, popełnisz błąd. Jeśli spróbujesz coś poprawiać, zmarnujesz całe swoje życie, a na końcu i tak odczujesz, że niczego nie osiągnąłeś. Cienie nie znikną, kroki nadal będą wydawać dźwięki, a do twoich drzwi zapuka śmierć.

Zanim śmierć zdąży zapukać, zaakceptuj siebie, a wtedy stanie się cud. Polega on na tym, że gdy zaakceptujesz siebie, przestaniesz uciekać. W tej chwili każdy z was ucieka przed samym sobą. Nawet kiedy przychodzicie do mnie, robicie to w ramach ucieczki przed samymi sobą. Właśnie dlatego jestem dla was niedostępny; istnieje jakaś luka. Jeśli ktoś przyszedł do mnie w ramach ucieczki przed sobą, to nie uda mu się wejść, ponieważ to, co staram się zrobić, to nauczyć was, jak nie uciekać przed sobą. Nie próbuj uciec od siebie; nie możesz być kimś innym. Masz określone przeznaczenie i indywidualność.

> Jesteś wyjątkową i niepowtarzalną jednostką, nieporównywalną; nigdy wcześniej takiej nie było i nigdy już nie będzie, tylko ty jesteś taki.

Tak jak kciuk, który ma wyjątkowy i niepowtarzalny odcisk. Taki kciuk jak twój nigdy wcześniej nie istniał i nie będzie istnieć, należy tylko do ciebie i nigdy nie będzie drugiego takiego samego. To samo dotyczy twojego ja. Jesteś wyjątkową i niepowtarzalną jednostką, nieporównywalną; nigdy wcześniej takiej nie było i nigdy już nie będzie, tylko ty jesteś taki. Ciesz się tym! Każdemu człowiekowi przydarza się coś wyjątkowego; Bóg dał każdemu wyjątkowy prezent, a ty go potępiasz. Chciałbyś coś lepszego! Starasz się być mądrzejszy niż egzystencja, mądrzejszy niż Tao i popełniasz błąd.

Zapamiętaj, że część nigdy nie może być mądrzejsza od całości, a to, co robi całość, jest ostateczne, nie możesz tego zmienić. Możesz podjąć próby i zmarnować na to całe życie, ale i tak niczego nie osiągniesz.

Całość jest ogromna; ty jesteś jedynie atomem. Ocean jest olbrzymi, ty jesteś tylko kroplą. Ocean jest słony, a ty starasz się być słodki – to niemożliwe. Ale ego usiłuje zrobić to co niemożliwe, trudne, niewykonalne. A Chuang Tzu mówi: „Właściwe jest to, co jest proste". Dlaczego nie możesz być spokojny i zgodny? Dlaczego nie pogodzić się z istnieniem cienia? Gdy go zaakceptujesz, zapomnisz o nim; zniknie – z umysłu, nawet jeśli nadal będzie trzymał się ciała.

Na czym polega ten problem? W jaki sposób cień może stać się problemem? Po co robić z niego problem? A przecież taki właśnie jesteś: robisz problemy ze wszystkiego. Tamten człowiek był zakłopotany i zdenerwowany widokiem własnego cienia. Chciał być jak bóg, bez cienia.

> **Dlaczego nie pogodzić się z istnieniem cienia? Gdy go zaakceptujesz, zapomnisz o nim; zniknie – z umysłu, nawet jeśli nadal będzie trzymał się ciała.**

Ale ty już teraz jesteś jak bóg i nie możesz być niczym więcej, niż jesteś w tej chwili. Jak mógłbyś być? Możesz być tylko tym, kim jesteś – stawanie się sobą to poruszanie się do wnętrza, które już w tobie jest. Możesz błąkać się i pukać od drzwi do drzwi, ale to tylko zabawa w chowanego z samym sobą. Od ciebie zależy, do ilu drzwi zapukasz i jak długo będziesz się błąkał. W końcu natrafisz na swoje drzwi i zdasz sobie sprawę, że zawsze tu były. Nikt nie jest w stanie ci ich odebrać. Natura, Tao nie mogą być ci zabrane.

Tamtemu człowiekowi przeszkadzał jego własny cień. Sposobem, jaki wymyślił, aby się go pozbyć, była ucieczka; wszyscy wymyślają zawsze ten sam sposób. Logika umysłu wydaje się być okrutna. Na przykład, co zrobisz, gdy odczuwasz gniew? Umysł powie: „Przysięgnij, że się nie rozgniewasz". Co zrobisz? Zahamujesz gniew – a im więcej gniewu powstrzymasz, tym więcej go przeniknie do twojego wnętrza. Wtedy przestaniesz być zły tylko czasami; jeśli powstrzymywałeś zbyt dużo złości, będziesz nieustannie zły. Wniknie to w twoją krew, zatruje całego ciebie; rozejdzie się na wszystkie twoje związki. Nawet jeśli jesteś zakochany, gniew sprawi, że będzie to brutalna miłość. Nawet jeśli będziesz chciał komuś pomóc, to ta pomoc będzie zatruta, ponieważ trucizna jest w tobie. Wszystkie twoje uczynki będą ją w sobie miały, będą pokazywać prawdziwego ciebie. Gdy znów poczujesz złość, umysł powie: „Nie powstrzymywałeś się wystarczająco dobrze, powstrzymuj się bardziej". Złość jest w tobie właśnie przez to, że ją hamujesz, a umysł krzyczy: „Hamuj ją jeszcze bardziej!". Wtedy wypełnia cię jeszcze większa złość.

Twój umysł jest przepełniony seksem, który starasz się wyprzeć. Umysł krzyczy: „Musisz lepiej zwalczać seks. Odkryj nowe metody, sposoby i środki, aby bardziej go hamować, aby zakwitł w tobie kwiat celibatu!". Ale on nie zakwitnie. Z powodu wypierania seks nie tylko zakorzeni się w twoim ciele, zakorzeni się również w umyśle, w mózgu. Wtedy człowiek zaczyna nieustannie o nim myśleć. Stąd tak rozpowszechniona na całym świecie pornografia.

Dlaczego ludzie tak lubią oglądać zdjęcia nagich kobiet? Czy kobiety same w sobie nie są wystarczające? Są bardziej niż wystarczające! Więc skąd ta potrzeba? Zdjęcie jest zawsze bardziej seksualne niż prawdziwa kobieta. Żywa kobieta ma ciało, rzuca cień i słychać jej kroki. Zdjęcie to tylko marzenie całkowicie związane z mózgiem. Nie ma ono swojego cienia. Prawdziwa kobieta poci się i jej ciało wytwarza zapach; zdjęcie nie robi tego nigdy. Prawdziwa kobieta denerwuje się; zdjęcie nie. Prawdziwa kobieta dojrzewa i kiedyś zestarzeje się; ta na zdjęciu zawsze pozostanie młoda i świeża. Fotografia jest związana z umysłem. Ci, którzy wypierają seks cielesny, stają się seksualni umysłowo. Ich umysł tkwi w świecie seksualności, a to jest chorobą.

Jeśli jesteś głodny, a jest to normalne, zjedz coś; ale jeśli nieustannie myślisz o jedzeniu, zamienia się to w obsesję i chorobę. Jeśli jesteś głodny, powinieneś zjeść i zakończyć sprawę jedzenia. Ale ty nigdy niczego nie doprowadzasz do końca i wszystko dusi się w twoim umyśle.

Żona Mułły Nasreddina była chora i musiała przejść operację. Wróciła ze szpitala kilka dni wcześniej, więc zapytałem go: „Jak się ma twoja żona? Wyzdrowiała po operacji?". Odpowiedział: „Nie, nadal o niej mówi".

Jeśli o czymś myślisz i mówisz, wtedy przywołujesz to do świadomości. Najbardziej niebezpieczne jest to, że ciało wyzdrowieje, ale umysł nie przestanie myśleć, będzie to robił ad infinitum. Ciało może wyzdrowieć, ale umysł – nigdy.

Jeśli wstrzymujesz głód na poziomie ciała, wnika on do umysłu. Nie pozbyłeś się problemu, jedynie go zepchnąłeś. Cokolwiek wypierasz, przedostaje się do twoich korzeni. Następnie umysł mówi, że skoro nie odnosisz sukcesu, coś idzie źle, za mało się starasz; wkładaj w to więcej wysiłku.

Metodą, którą postanowił zastosować mężczyzna, była ucieczka.

Umysł ma tylko dwie możliwości, walczyć albo uciec. Gdy pojawia się problem, umysł albo mówi, żebyś walczył, albo żebyś od niego uciekł – i oba sposoby są złe. Jeśli zaczniesz walczyć, nie pozbędziesz się problemu. Jeśli będziesz walczył, problem będzie obecny nieustannie. Jeśli będziesz walczył, będziesz czuł się rozdarty, ponieważ nie dotyczy on sytuacji zewnętrznej, problem jest wewnątrz ciebie.

Co się stanie, jeśli, odczuwając gniew, zaczniesz z nim walczyć? Połowa ciebie stanie po stronie gniewu, a połowa będzie wspierać pomysł podjęcia walki. Będzie tak, jakby obie twoje ręce walczyły ze sobą. Która wygra? Stracisz tylko energię. Nikt nie zwycięży. Możesz się oszukiwać, że powstrzymałeś gniew, że go ujarzmiłeś. Ale wtedy będziesz zmuszony dusić go nieustannie – nie będziesz mógł pozwolić sobie na choćby chwilę przerwy. Jeśli o tym zapomnisz, stracisz swoją wygraną.

> **Dlaczego nie możesz się odprężyć? Ponieważ zatrzymałeś w sobie tak wiele rzeczy. Boisz się, że jeśli się rozluźnisz, one wyjdą na jaw.**

Więc ludzie, którzy coś w sobie powstrzymują, nieustannie na tym siedzą i ciągle odczuwają strach. Nie mogą się zrelaksować. Dlaczego stało się to takie trudne? Dlaczego nie możesz spać? Dlaczego nie możesz się odprężyć? Dlaczego nie możesz sobie odpuścić? Ponieważ zatrzymałeś w sobie tak wiele rzeczy. Boisz się, że jeśli się rozluźnisz, one wyjdą na jaw. Twoi tak zwani ludzie religijni nie potrafią się zrelaksować; są spięci i to właśnie z tego powodu. Coś w sobie wyparli – a ty mówisz im, że mają się zrelaksować? Oni dobrze wiedzą, że jeśli to zrobią, to ich wrogowie uwolnią się. Umysł radzi, żeby albo walczyć – a wtedy zmuszony jesteś wszystko hamować – albo uciec. Ale dokąd uciekniesz? Nawet jeśli wyjedziesz w Himalaje, gniew pojedzie za tobą; jest on twoim cieniem. Seks także za tobą podąży; jest twoim cieniem. Gdziekolwiek się udasz, twój cień pójdzie za tobą.

Metodą, którą mężczyzna postanowił zastosować, była ucieczka. Wstał i zaczął biec, ale za każdym razem, gdy postawił stopę na ziemi, słyszał kolejny odgłos kroku, a cień, bez najmniejszych trudności, trzymał się tuż obok niego. Mężczyzna był zaskoczony! Mimo że biegł tak szybko, cień bez najmniejszych problemów biegł za nim. Cień nie miał żadnych kłopotów, nawet się nie pocił ani nie miał przyspieszonego oddechu. Nie miał problemów, ponieważ nie jest materialny, cień jest nikim. Człowiek może się pocić, może mieć trudności z oddychaniem, ale cień zawsze dotrzymuje mu kroku. Nie pozbędziesz się go w ten sposób. Ani walka, ani ucieczka nie pomoże. Dokąd uciekniesz? On zawsze pójdzie za tobą.

Swoją porażkę mężczyzna usprawiedliwiał tym, że nie biegł dostatecznie szybko. Więc zaczął biec szybciej i szybciej, bez zatrzymywania, aż w końcu padł martwy.

Trzeba zrozumieć sposób, w jaki funkcjonuje umysł. Jeśli nie zrozumiesz, staniesz się jego ofiarą. Logika umysłu jest niebezpieczna, jest błędnym kołem. Jeśli będziesz jej posłuszny, zaczniesz kręcić się w kółko. Tamten mężczyzna myślał logicznie; w jego rozumowaniu nie sposób znaleźć żadnego błędu. Nie ma w nim żadnej luki; ten człowiek myślał całkowicie logicznie, zupełnie jak Arystoteles. Mówił, że skoro cień nadal za nim podąża, oznacza to, że biegnie zbyt wolno. Musi biec szybciej; wtedy nadejdzie chwila, gdy cień nie będzie w stanie nadążyć. Ale cień należy do ciebie, nie jest kimś, kto cię goni. Jeśli byłby innym człowiekiem, to rozumowanie tego mężczyzny byłoby właściwe.

Jeśli to ktoś inny goniłby tego człowieka, wtedy umysł miałby całkowitą rację: Nie biegł wystarczająco szybko i dlatego ta druga osoba nadal była w stanie go dogonić. Ale był w błędzie – nikt go nie gonił. Umysł okazał się w tej sytuacji zupełnie nieprzydatny.

> **Trzeba zrozumieć sposób, w jaki funkcjonuje umysł. Jeśli nie zrozumiesz, staniesz się jego ofiarą.**

Umysł dla innych, medytacja dla siebie. Umysł wykorzystuj w relacjach z innymi ludźmi, brak umysłu – w stosunku do siebie; na to właśnie kładzie nacisk Chuang Tzu, Zen, Sufi czy Chasydzi, wszyscy ci, którzy wiedzą; tacy jak Budda, Jezus, Mahomet; wszyscy, którzy to wiedzieli. Podkreślają oni, że należy używać umysłu w stosunku do innych ludzi, ale nie używać go w stosunku do siebie.

Tamten mężczyzna wpakował się w kłopoty, ponieważ zastosował umysł do siebie, a umysł działa według pewnych schematów. Mówi: „Szybciej, szybciej! Jeśli będziesz biegł dostatecznie szybko, cień nie będzie w stanie za tobą nadążyć".

Swoją porażkę usprawiedliwiał tym, że nie biegł wystarczająco szybko.

Do porażki doszło właśnie dlatego, że mężczyzna w ogóle zaczął biec. Ale umysł nie mógł mu tego powiedzieć, nie był na to przygotowany. Działa on jak komputer, musisz karmić go wiedzą; jest mechanizmem. Nie da ci niczego nowego; może dać ci jedynie to, co sam do niego wprowadziłeś. Nie da ci niczego nowego; wszystko, co daje, jest zapożyczone. A jeśli uzależniłeś się od słuchania go, zawsze będziesz miał problemy, gdy odniesiesz to, co mówi, do siebie. Gdy sprawa wymaga przekształcenia, zwrócenia się w stronę źródła, zawsze będziesz miał problemy. Wtedy umysł jest całkowicie niepotrzebny – nie tylko jest nieprzydatny, ale staje się przeszkodą, wyrządza ci krzywdę. Więc odrzuć go.

Usłyszałem kiedyś:

Pewnego dnia syn Mułły Nasreddina wrócił do domu ze swojej postępowej szkoły z książką do seksuologii. Jego matka była tym bardzo zaniepokojona, ale czekała na powrót Mułły. Trzeba coś zrobić; ta szkoła posuwa się za daleko! Gdy Mułła wrócił, żona pokazała mu książkę.

Nasreddin poszedł na górę porozmawiać z synem. Zastał go w pokoju, gdy ten całował się z pokojówką. Powiedział: „Synu, gdy skończysz odrabiać pracę domową, zejdź na dół".

Jest to logiczne! Logika ma swoje kroki, a każdy krok wywołuje następny i tak bez końca. Człowiek przerażony własnym cieniem podążał za głosem umysłu, biegł coraz szybciej, bez wytchnienia, aż padł martwy. Szybciej i szybciej bez odpoczynku... to może prowadzić tylko do śmierci.

Czy zwróciłeś uwagę na to, że nie doświadczyłeś jeszcze prawdziwego życia? Czy zauważyłeś, że nie przeżyłeś nawet najkrótszej chwili? Nie doświadczyłeś ani przez moment błogosławieństwa, o jakim mówili Chuang Tzu i Budda. Co się z tobą stanie? Nic, z wyjątkiem śmierci. A im jesteś bliżej śmierci, tym szybciej biegniesz, ponieważ wydaje ci się, że jesteś w stanie uciec.

Dokąd się tak spieszysz? Człowiek i jego umysł zawsze mieli obsesję na punkcie szybkości, tak jakbyśmy dokądś zmierzali i prędkość była nam do czegokolwiek potrzebna. Więc pędzimy coraz szybciej. Dokąd? Ostatecznie, niezależnie od tego, czy idziesz powoli, czy pędzisz, dojdziesz do śmierci. I każdy dochodzi tam we właściwym momencie, żadna chwila nie jest stracona. Każdy dociera tam we właściwym momencie, nikt się nigdy nie spóźnia. Słyszałem, że niektórzy ludzie umierają za wcześnie, ale nigdy nie słyszałem, żeby ktoś umarł za późno. Niektórzy umierają za wcześnie przez swoich lekarzy...

Mężczyzna swoją porażkę usprawiedliwiał tym, że nie biegł wystarczająco szybko. Więc zaczął biec szybciej i szybciej, bez zatrzymywania, aż w końcu padł martwy. Nie uświadomił sobie, że jego cień zniknąłby w zacienionym miejscu.

To było takie proste! Jeśli wejdziesz w zacienione miejsce, tam gdzie nie ma słońca, twój cień znika, ponieważ to słońce wytwarza cień. Jest on spowodowany brakiem promieni słonecznych. Jeśli siedzisz w cieniu drzewa, twój cień znika.

Nie uświadomił sobie, że jego cień zniknąłby w zacienionym miejscu.

Takie zacienione miejsce to cisza, wewnętrzny spokój. Nie słuchaj umysłu. Po prostu wejdź do cienia, do wewnętrznej ciszy, do której nie docierają promienie słońca.

Cały problem polega na tym, że ty pozostajesz na obrzeżach. Pozostajesz wystawiony na działanie światła pochodzącego z zewnętrznego świata, dlatego wytwarzasz cień. Zamknij oczy, wejdź do cienia. Gdy zamkniesz oczy, słońce przestanie istnieć. Dlatego właśnie medytuje się zawsze z zamkniętymi oczami – wchodzisz w swój własny cień. Wewnątrz nie ma ani słońca, ani cienia. Na zewnątrz jest społeczeństwo, na zewnątrz są wszelkie rodzaje cieni. Czy zdałeś sobie kiedyś sprawę z tego, że twój gniew, seks, zachłanność, ambicja to wszystko wytwory społeczeństwa? Jeśli naprawdę przenosisz się do wewnątrz, a społeczeństwo zostawiasz na zewnątrz, gdzie znika gniew? Gdzie jest seks? Oczywiście trzeba pamiętać, że na początku, gdy będziesz zamykał oczy, nie będą one tak naprawdę zamknięte. Obrazy z zewnątrz przenosisz do wnętrza i tworzysz tam odbicie tego samego społeczeństwa. Ale jeśli będziesz kontynuował zagłębianie się, zaczniesz poruszać się dalej do wnętrza, to prędzej czy później społeczeństwo zostawisz gdzieś po drodze. Ty jesteś wewnątrz, społeczeństwo jest na zewnątrz – przemieściłeś się z obrzeży do centrum.

W centrum panuje cisza: nie ma tam gniewu czy braku gniewu, nie ma seksu i celibatu, nie ma zachłanności ani szczodrości, nie ma przemocy, nie ma braku przemocy – ponieważ to wszystko pozostaje na zewnątrz. Pamiętaj, przeciwieństwa także należą do świata zewnętrznego – wewnątrz nie jesteś ani tym, ani tym. Jesteś prostą jaźnią, jesteś czysty. Oto co mam na myśli, mówiąc, że ktoś jest jak bóg – czysta istota bez pojawiających się przeciwieństw, które walczą lub uciekają. Nie, po prostu bycie. Wkroczyłeś do cienia.

Mężczyzna nie uświadomił sobie, że jego cień zniknąłby w zacienionym miejscu, a gdyby usiadł i pozostał nieruchomy, nie byłoby kroków. To było takie proste. Ale to, co jest proste dla ciebie, dla umysłu jest trudne, ponieważ umysłowi zawsze łatwiej uciec lub walczyć, wtedy ma co robić. Jeśli powiesz mu: „Nic nie rób", będzie to dla niego najtrudniejsze. Umysł prosi: „Daj mi przynajmniej mantrę, żebym mógł z zamkniętymi oczami mówić Omm, Omm... Ram, Ram. Daj mi cokolwiek do roboty, jak moglibyśmy tak po prostu nic nie robić, za niczym nie gonić, niczego nie ścigać?".

Umysł to aktywność, a bycie to całkowity brak aktywności. Umysł biega, istnienie siedzi. Peryferia poruszają się, centrum stoi nieruchomo. Spójrz na koło pojazdu – koło się porusza ale środek pozostaje nieruchomy, całkowicie statyczny. Twoja istota nie porusza się, a twoje obrzeża robią to nieustannie. Trzeba o tym pamiętać w sufijskim tańcu derwiszów, wirującej medytacji. Gdy ją stosujesz, pozwól ciału stać się obrzeżami – ciało się porusza, a ty pozostajesz całkowicie nieruchomy. Stań się kołem. Ciało staje się kołem, obrzeżem, a ty środkiem. Wkrótce uświadomisz sobie, że mimo iż ciało porusza się coraz szybciej i szybciej, wewnątrz odczuwasz brak ruchu; a im szybciej porusza się ciało, tym lepiej, ponieważ lepiej widać kontrast. Nagle ty i ciało stajecie się oddzielnymi częściami.

> Umysłowi zawsze łatwiej uciec lub walczyć, wtedy ma co robić. Jeśli powiesz mu: „Nic nie rób", będzie to dla niego najtrudniejsze. Umysł to aktywność, a bycie to całkowity brak aktywności. Umysł biega, istnienie siedzi. Peryferia poruszają się, centrum stoi nieruchomo.

Ale nieustannie poruszasz ciałem, więc nie ma separacji. Usiądź. Siedzenie wystarczy, nie rób nic. Po prostu zamknij oczy i siedź, siedź, siedź; pozwól, by wszystko się uspokoiło. To trochę potrwa; przez tyle lat żyłeś w niepokoju. Starałeś się wytworzyć wszelkie możliwe przeszkody. Teraz zajmie to trochę czasu, ale potrzebny jest tylko czas. Nie musisz nic robić; po prostu patrz i siedź, patrz i siedź... Ludzie Zen nazywają to Zazen. Zazen oznacza siedzenie i nierobienie niczego.

Oto co mówi Chuang Tzu:
Mężczyzna nie uświadomił sobie, że jego cień zniknąłby w zacienionym miejscu, a odgłos jego kroków umilkłby, gdyby usiadł w bezruchu.

Nie było potrzeby ani walczyć, ani uciekać. Jedyne, co należało zrobić to wejść do cienia i pozostać nieruchomym.

Oto co musisz robić przez całe swoje życie. Z niczym nie walcz i nie próbuj od niczego uciekać. Pozwól rzeczom dziać się po swojemu. Po prostu zamykasz oczy i wchodzisz do wewnątrz, do środka, tam gdzie nie dochodzą promienie słońca. Nie ma tam cienia – i tak naprawdę w tym zasadza się znaczenie mitu, że bogowie nie mają cieni. Nie chodzi o to, że są gdzieś bogowie, którzy nie rzucają cieni, ale o to, że bóg w tobie nie ma cienia, ponieważ nic co pochodzi z zewnątrz, nie ma do niego dostępu. Nie może mieć dostępu; on zawsze pozostaje w cieniu.

Chuang Tzu ten cień nazywa Tao, twoją najgłębszą naturą – całkowicie i absolutnie najgłębszą.

Więc co należy zrobić? Po pierwsze, przestań słuchać umysłu. Jest on dobrym narzędziem w świecie zewnętrznym, ale dla wewnętrznego stanowi tylko barierę. Logika jest dobra w odniesieniu do innych ludzi; nie jest dobra w stosunku do samego siebie. W rozwiązywaniu problemów potrzebne są logika i wątpliwość. Nauka bazuje na wątpliwości, religia na wierze i zaufaniu. Usiądź w stanie głębokiej wiary, a twoja wewnętrzna natura przejmie kontrolę. Zawsze to robi. Musisz jedynie czekać, potrzebna ci tylko cierpliwość. I cokolwiek podpowiadałby ci umysł, nie słuchaj go.

> Nawet przyjaciele nie mają na nas takiego wpływu jak wrogowie. Jeśli nieustannie z kimś walczysz, ta osoba oddziałuje na ciebie, ponieważ aby walczyć, musicie używać tych samych technik.

Słuchaj umysłu w sprawach dotyczących świata zewnętrznego; nie rób tego dla świata wewnętrznego – odłóż go na bok. Nie ma potrzeby z nim walczyć, ponieważ mógłby mieć wtedy na ciebie zbyt duży wpływ. Po prostu odłóż go na bok. Na tym polega wiara. Nie jest ona walką z umysłem – jeśli walczysz, wróg wywiera na ciebie wpływ. I pamiętaj, nawet przyjaciele nie mają na nas takiego wpływu jak wrogowie. Jeśli nieustannie z kimś walczysz, ta osoba oddziałuje na ciebie, ponieważ aby walczyć, musicie używać tych samych technik. W końcu wrogowie upodabniają się do siebie. Bardzo trudno jest być innym i odizolować się od wroga; wróg ma na ciebie wpływ.

Ci, którzy rozpoczynają walkę z umysłem, stają się wielkimi filozofami. Mogą mówić o antyumyśle, ale ich wywody pochodzą z umysłu. Mogą mówić „Sprzeciwiaj się umysłowi", ale cokolwiek powiedzą, wypływa z umysłu, nawet ich wrogość. Musisz pozostać ze swoim wrogiem i stopniowo ustalicie warunki: staniecie się tym samym.

Zawsze pamiętaj: nie walcz z umysłem. Inaczej będziesz grał według jego reguł. Jeśli chcesz przekonać umysł, musisz używać argumentów; i w tym cały problem. Jeśli chcesz go przekonać, musisz używać słów. Lepiej po prostu odłóż go na bok. Nie będzie to sprzeciwienie się umysłowi, lecz wykroczenie poza. Zwyczajne odłożenie go na bok. To tak jak z butami, gdy wychodzisz na zewnątrz, zakładasz je, gdy wracasz do domu, odkładasz je na bok – nie ma w tym walki. Nie mówisz do nich: „Teraz wchodzę do środka i was nie potrzebuję, więc odłożę was na bok". Po prostu je odkładasz; nie są ci potrzebne.

Właśnie tak – dobre jest to, co proste – nie ma walki. Proste jest słuszne – nie ma zmagań i konfliktu. Zwyczajnie odkładasz umysł na bok, wchodzisz do cienia wewnątrz ciebie i siadasz. Nie słyszysz wtedy kroków, a twój cień nie podąża za tobą. Stajesz się podobny do boga. A możesz stać się tylko tym, kim już jesteś. Więc mówię wam, jesteście podobni do bogów, jesteście bogami. Nie zadowalajcie się czymś mniejszym niż to.

Fałszywe wartości

Musisz zapamiętać pewną fundamentalną rzecz. Człowiek jest bardzo sprytny przy tworzeniu fałszywych wartości. To, co prawdziwe, angażuje cię w pełni, absorbuje całego ciebie; fałszywe wartości są bardzo tanie. Wyglądają jak prawdziwe, ale nie potrzebują całego ciebie – wystarczą im pozory.

Na przykład w miejsce miłości i zaufania tworzymy fałszywą wartość: „lojalność". Osoba lojalna tylko pozornie kieruje się miłością. Używa tych samych gestów, co w miłości, ale kryje się pod nimi coś zupełnie innego; jej serce nie angażuje się w te formalne gesty.

Niewolnik jest lojalny. Czy uważasz, że ten, kto jest niewolnikiem, ten, komu odebrano jego człowieczeństwo, ten, komu odebrano dumę i godność, może kochać osobę, która tak głęboko go zraniła? Nienawidzi i gdy tylko nadarzy się okazja, zabije tę osobę! Ale na pozór jest lojalny – musi. Nie wypływa to z radości, lecz ze strachu. Nie z miłości, lecz z uwarunkowanego umysłu, który mówi, że musi słuchać swego pana. Jest to lojalność psa.

> **Miłość niesie ze sobą wolność. Lojalność przynosi zniewolenie. Pozornie są do siebie podobne; ale tak naprawdę to zupełne przeciwieństwa. Lojalność to gra; nauczono cię jej. Miłość to dzikość; całe jej piękno polega na tym, że jest dzika.**

Miłość potrzebuje totalnej odpowiedzi. Nie wypływa ona z poczucia obowiązku, lecz rytmu twojego serca, z twojej radości, z pragnienia, aby się dzielić. Lojalność jest brzydka. Ale przez tysiące lat była bardzo ceniona, ponieważ społeczeństwo stara się zniewolić ludzi na różne sposoby. Żona ma być lojalna wobec męża – doszło do tego, że w Indiach po śmierci mężów umierają miliony kobiet, bo skaczą w stos pogrzebowy i palą się żywcem. Tak bardzo tego przestrzegano, że kobieta, która tego nie zrobiła, do końca życia była potępiona. Stawała się wyrzutkiem; przez swoją własną rodzinę traktowana była jak służąca. Uważano, że skoro nie była w stanie umrzeć razem z mężem, to nie była lojalna.

A pomyśl o sytuacji odwrotnej: żaden mężczyzna nie wskoczył nigdy w ogień za żoną! Nikt nie zadał nigdy pytania: „Czy to oznacza, że żaden mąż nie był nigdy lojalny wobec swojej żony?". Ale to jest właśnie ten podwójny standard społeczny. Jeden dotyczy pana, właściciela, tego, kto posiada, a drugi odnosi się do niewolnika.

Miłość to niebezpieczne doświadczenie, ponieważ trafiasz w posiadanie czegoś potężniejszego niż ty sam. Nie da się tego kontrolować; nie uda ci się wprowadzić porządku. A gdy miłość zniknie, nie ma możliwości, aby ją przywrócić. Jedyne, co wtedy możesz zrobić, to udawać, być hipokrytą.

Lojalność jest czymś zupełnie innym. Została wytworzona przez twój własny umysł, nie jest czymś, co wykracza poza ciebie. Jest wytrenowana pod konkretną kulturę, nie różni się od innych tresur. Zaczynasz grać i stopniowo nabierasz wiary w swoją rolę. Lojalność wymaga, abyś za życia i po śmierci oddany był drugiej osobie, niezależnie od tego, czy twoje serce tego pragnie, czy nie. To rodzaj psychicznego zniewolenia.

Miłość niesie ze sobą wolność. Lojalność przynosi zniewolenie. Pozornie są do siebie podobne; ale tak naprawdę to zupełne przeciwieństwa. Lojalność to gra; nauczono cię jej. Miłość to dzikość; całe jej piękno polega na tym, że jest dzika. Zjawia się jak bryza, przynosi aromat, wypełnia twoje serce i nagle zamienia pustynię w ogród pełen kwiatów. Nie wiesz, skąd przychodzi i nie wiesz, że nie ma sposobu na to, aby samemu ją sprowadzić. Przychodzi sama z siebie i zostaje tak długo, jak chce tego Istnienie. I tak samo jak kiedyś przybyła, jako obcy, jako gość, tak pewnego dnia odejdzie. Nie ma sposobu, aby ją uchwycić, aby ją przytrzymać.

Społeczeństwo nie może polegać na czymś tak nieprzewidywalnym i niestałym. Ono chce gwarancji i bezpieczeństwa; dlatego usunęło z życia miłość i zastąpiło ją małżeństwem. Małżeństwo doskonale wie, czym jest lojalność wobec męża, ponieważ jest ona stwarzaniem pozorów, zależy od ciebie... ale w porównaniu z miłością jest niczym – nie jest nawet kroplą rosy w oceanie miłości.

> A najdziwniejsze jest to, że choć miłość jest najwyższą formą zaufania, to nie można jej ufać. W chwili obecnej jest całkowita, ale w kolejnej otwiera się. Może rosnąć w tobie albo może z ciebie wyparować.

Ale społeczeństwo jest zadowolone, ponieważ ma pewność. Mąż może ci ufać, ufać, że jutro będziesz tak samo lojalna jak dziś. Miłości nie można ufać – a najdziwniejsze jest to, że choć miłość jest najwyższą formą zaufania, to nie można jej ufać. W chwili obecnej jest całkowita, ale w kolejnej otwiera się. Może rosnąć w tobie albo może z ciebie wyparować. Mąż chce żony, która przez całe życie będzie niewolnicą. Nie może on polegać na miłości; musi wykreować coś, co będzie wyglądać jak miłość, ale będzie wytworem ludzkiego umysłu.

Lojalność szanuje się nie tylko jako substytut miłości, ale również w innych dziedzinach. Niszczy ona inteligencję. Żołnierz ma być lojalny wobec narodu. Człowiekowi, który zrzucił bomby na Hiroszimę i Nagasaki – nie nazwiecie go chyba odpowiedzialnym; on po prostu wypełniał swoje obowiązki – wydano rozkaz, a on wykazał się lojalnością wobec przełożonych; na tym polega szkolenie w armii. Trenują cię przez lata, tak abyś niemal stracił zdolność buntowania się. Nawet jeśli widzisz, że to co masz zrobić, jest złe, to trening tkwi tak głęboko w tobie, że powiesz: „Tak jest, zrobię to".

Nie wyobrażam sobie, aby człowiek, który zrzucił bomby na Hiroszimę czy Nagasaki, był maszyną. Również, tak jak ty, miał serce. Również miał żonę i dzieci, matkę i ojca. Był tak samo jak ty istotą ludzką – z jedną różnicą. Wyszkolono go, aby wypełniał rozkazy bez sprzeciwu, więc gdy dano mu rozkaz, on posłusznie go wypełnił.

Wiele razy rozmyślałem o jego umyśle. Czy to możliwe, że nie myślał o tym, że ta bomba zabije prawie dwieście tysięcy ludzi? Czy nie mógł powiedzieć: „Nie! Lepiej zostać zastrzelonym przez generała za niewykonanie rozkazu, niż zabić dwieście tysięcy ludzi"? Być może nigdy o tym nie pomyślał.

Wojsko stara się tworzyć lojalność; zaczyna od małych rzeczy. Ludzie zastanawiają się, dlaczego żołnierze biorą udział w paradach i wypełniają głupie rozkazy – w lewo zwrot, w prawo zwrot, w tył zwrot, naprzód marsz – i tak godzinami, bez celu. Ale jest w tym ukryty cel. Inteligencja żołnierza zostaje zniszczona. Przemienia się go w automat, w robota. Więc gdy nadchodzi rozkaz: „w lewo zwrot", umysł nie pyta dlaczego. Jeśli ktoś powie ci „w lewo zwrot", zapytasz: „Co to za bzdury? Dlaczego mam iść w lewo? Pójdę w prawo!". Ale żołnierz nie powinien się wahać, analizować; ma po prostu wypełnić rozkaz. To podstawowy warunek bycia lojalnym.

Z punktu widzenia królów i generałów to dobrze, że armie są lojalne, że funkcjonują jak maszyny, a nie jak ludzie. Dla rodziców jest wygodne, gdy dzieci są lojalne, ponieważ dziecko, które jest buntownikiem, stwarza problemy. Rodzice mogą się mylić, dziecko może mieć rację, ale musi być posłuszne; oto część starego treningu, który przetrwał po dziś dzień.

Uczę was o nowym człowieku, w którym zamiast lojalności rozwija się inteligencja, wnikliwość, zdolność odmawiania. Dla mnie, jeśli nie umiesz powiedzieć nie, twoje tak nie ma żadnego znaczenia. Twoje „tak" nagrane jest na płycie gramofonowej; nie możesz nic zrobić, musisz mówić „tak", ponieważ „nie" po prostu nie wypływa z ciebie.

> Dla rodziców jest wygodne, gdy dzieci są lojalne, ponieważ dziecko, które jest buntownikiem, stwarza problemy. Rodzice mogą się mylić, dziecko może mieć rację, ale musi być posłuszne. Dla mnie, jeśli nie umiesz powiedzieć nie, twoje tak nie ma żadnego znaczenia.

Życie i cywilizacja byłyby zupełnie inne, gdybyśmy wytrenowali ludzi tak, aby byli bardziej inteligentni. Nie doszłoby do wielu wojen, ponieważ ludzie pytaliby: „Jaki jest cel tej wojny? Dlaczego mamy zabijać niewinnych?". Ale oni są lojalni wobec swojego kraju, a ty jesteś lojalny wobec swojego i politycy obu krajów walczą ze sobą, poświęcając swoich ludzi. Jeśli politycy tak bardzo lubią walczyć, mogą walczyć w zapasach, a ludzie mieliby z tego rozrywkę, tak jak z meczów piłki nożnej.

Ale królowie, politycy, księża i premierzy nie chodzą na wojny. Wysyłani tam są prości ludzie, którzy nie mają nic wspólnego z zabijaniem; idą na wojnę, aby zabijać i zostać zabitymi. Nagradza się ich za lojalność – dostają Krzyż Victorii i inne nagrody, za to, że byli nieludzcy, nieinteligentni, że działali mechanicznie.

Lojalność to nic więcej jak mieszanka chorób: wiary, obowiązku, szacunku. Są one odżywką dla ego. Nie służą rozwojowi duchowemu, lecz sprzyjają ukrytym interesom. Księża nie chcą, abyś zadawał pytania o ich system przekonań, ponieważ doskonale wiedzą, że nie dadzą ci odpowiedzi. Wszystkie systemy wiary są tak zakłamane, że jeśli zaczniesz zadawać pytania, upadną. Niekwestionowane, tworzą wielkie religie z milionami wyznawców.

Dalej, papieża otaczają miliony ludzi i żaden z nich nie zapytał: „W jaki sposób dziewica mogła urodzić dziecko?". Byłoby to świętokradztwem! Z milionów ludzi ani jeden nie pyta: „Jaki istnieje dowód na to, że Jezus jest jedynym poczętym Synem Boga? Każdy może tak powiedzieć. Jaki jest dowód na to, że Jezus ocalił ludzi przed cierpieniem? Nie potrafił ocalić siebie". Ale takie pytania są kłopotliwe i nikt ich nie zadaje. Nawet Bóg nie jest niczym więcej jak hipotezą, którą religijni ludzie starali się udowodnić przez tysiące lat... znaleźli tysiące dowodów, ale wszystkie są fałszywe, niematerialne, niepotwierdzone przez Istnienie. Ale nikt nie zadaje pytań.

Od pierwszych dni życia ludzi szkoli się, aby byli lojalni wobec systemów wiary, w których się urodzili. Wykorzystywanie ciebie jest wygodne dla kapłanów i polityków, wykorzystywanie żon jest wygodne dla mężów, wykorzystywanie dzieci jest wygodne dla rodziców, wykorzystywanie uczniów jest wygodne dla nauczycieli. Dla każdego ukrytego interesu lojalność jest czymś niezbędnym. Ale to sprowadza ludzkość do poziomu debilizmu. Nie wolno zadawać pytań. Nie wolno mieć wątpliwości. Nie wolno ludziom być inteligentnymi. A człowiek, który nie jest zdolny wątpić, zadawać pytań, mówić „nie", gdy uważa, że coś jest złe, spada poniżej poziomu ludzkiego, staje się ludzkim zwierzęciem.

Jeśli prosisz o miłość, zamieni się ona w lojalność. Jeśli miłość dana jest bez prośby, to jest ona dobrowolnym podarunkiem. Wtedy podnosi twoją świadomość. Jeśli prosisz o zaufanie, stajesz się niewolnikiem. Ale jeśli zaufanie narasta w tobie samo z siebie, rodzi się w tobie coś nadludzkiego. Różnica jest niewielka, ale ma ogromne znaczenie: zarówno miłość, jak i zaufanie okazywane na prośbę czy żądanie stają się fałszywe. Gdy pojawiają się same z siebie, mają głęboką wartość. Nie czynią z ciebie niewolnika, robią cię panem siebie samego, ponieważ miłość i zaufanie są wtedy częścią ciebie. Podążasz za głosem własnego serca. Nie idziesz za kimś innym. Nikt cię do tego nie zmusza. Twoja miłość wypływa z wolności. Zaufanie wypływa z twojej godności – obie te rzeczy sprawią, że będziesz bogatszym człowiekiem.

Oto moja koncepcja nowej ludzkości. Ludzie będą kochać, ale nie pozwolą, aby ktokolwiek narzucił im miłość. Będą ufać, ale tylko w zgodzie z samymi sobą – nie w zgodzie z pismami świętymi, strukturą socjalną, nakazami księży czy polityków.

Życie będzie przeżywane w zgodzie z własnym sercem, z jego rytmem, będzie zagłębiać się w to, co nieznane, niczym orzeł lecący w całkowitej wolności na tle słońca, bez poczucia granic... bez rozkazów. Takie życie jest radością samą w sobie, jest rozwijaniem swej własnej duchowości.

4. NARZĘDZIA DO TRANSFORMACJI

Oto jedna z prawd, które najtrudniej odkryć: człowiek jest zawsze taki sam; cokolwiek robimy, pozostajemy tacy sami. Nie ma „poprawy". Twoje ego jest tym zdruzgotane, ono żyje dzięki koncepcji polepszania, osiągnięcia czegoś, kiedyś w przyszłości. Może nie dzisiaj, ale jutro lub pojutrze. Kiedy odkryjesz fakt, że nie istnieje coś, co nazywasz polepszaniem świata, że życie jest po prostu świętowaniem i nie ma w sobie żadnych elementów biznesu, kiedy to zrozumiesz – cała machina ego zatrzyma się, a ty znajdziesz się ponownie w teraźniejszości.

Akceptuj siebie

Z chwilą, kiedy zaakceptujesz siebie, stajesz się otwarty, stajesz się podatny, wrażliwy. Z chwilą, kiedy zaakceptujesz siebie, przestajesz pragnąć przyszłości, bo nie masz zamiaru niczego polepszać. Wszystko staje się dobre, jest dobre takie, jakie jest. Dzięki temu doświadczeniu życie nabiera nowego koloru, powstaje nowa muzyka.

Zaczniesz akceptować wszystko dopiero, gdy zaakceptujesz siebie. Jeśli odrzucasz siebie, to w zasadzie tak, jakbyś odrzucał cały wszechświat; odrzucając siebie, odrzucasz Istnienie. Zaakceptowawszy siebie, akceptujesz Istnienie; a wtedy nie pozostaje nic innego jak radować się, świętować. Nie ma powodu, aby narzekać, nie ma się niczego nikomu za złe; czujesz wdzięczność. Życie staje się dobre i śmierć staje się dobra; wtedy radość jest dobra i smutek jest dobry; bycie z kimś, kogo kochasz, jest dobre i samotność także jest dobra. Cokolwiek się wtedy przydarzy jest dobre, bo wynika z pełni.

Ale od stuleci uczą nas nie akceptować siebie. Wszystkie kultury świata zatruwały umysł człowieka, gdyż one wszystkie zależą od tego jednego: stawaj się coraz lepszy. Wytworzyło to w tobie niepokój – stan napięcia pomiędzy tym, kim jesteś, a tym, kim być powinieneś. Ludzie są skazani na lęki, jeśli w ich życiu istnieje jakiekolwiek „powinieneś". Jeśli jest jakiś ideał, który masz osiągnąć, jakże mógłbyś być spokojny? Jak mógłbyś czuć się swobodnie? Nie możesz przeżywać niczego w pełni, bo umysł marzy już o przyszłości. A ona nigdy nie nadchodzi. Nie może nadejść. Takie pragnienie jest z gruntu nie do spełnienia – jeśli się spełnia, ty już marzysz o innych rzeczach, pragniesz czegoś innego. Zawsze można sobie wyobrazić, że sprawy mogłyby potoczyć się lepiej. I przez to zawsze pozostajesz zaniepokojony, spięty, zmartwiony – tak żyje ludzkość od stuleci.

> **Nie możesz poprawić siebie. I nie chodzi mi o to, że nie można czegoś zmienić na lepsze; rzecz w tym, że nie możesz ulepszyć samego siebie.**

Wyjątkowo rzadko, raz na jakiś czas, ktoś wyrwie się z tej pułapki. Nosi on imię Budda, Chrystus; oświecony człowiek, który wymknął się z zasadzki przygotowanej przez społeczeństwo, który dostrzegł ten absurd. Nie możesz poprawić siebie. I nie chodzi mi o to, że nie można czegoś zmienić na lepsze; rzecz w tym, że nie możesz ulepszyć samego siebie. Kiedy przestaniesz próbować, życie samo przyniesie ci poprawę. W stanie rozluźnienia, w stanie akceptacji, życie zaczyna cię rozpieszczać, zaczyna przez ciebie przepływać. I jeżeli nie masz do nikogo żalu, jeśli się nie skarżysz, rozwijasz się, rozkwitasz.

> **Moja nauka jest prosta: nie wstrzymuj życia. Nie czekaj na dzień jutrzejszy; on nie nadejdzie nigdy. Przeżyj to dziś!**

Chciałbym więc wam powiedzieć: akceptujcie siebie takimi, jakimi jesteście. Jest to umiejętność najtrudniejsza ze wszystkich, bowiem sprzeciwia się temu, czego was nauczono, waszemu wykształceniu, waszej kulturze. Od samego początku zostaliście pouczeni, jacy macie być. Nikt wam nie mówił, że jesteście dobrzy tacy, jacy jesteście; włożono wam do głowy oprogramowanie. Jesteście zaprogramowani przez rodziców, kapłanów, polityków, nauczycieli; jesteście zaprogramowani na stawanie się coraz lepszymi. Cokolwiek dostałeś, dąż do czegoś innego. Nie ustawaj w wysiłkach. Pracuj aż do samej śmierci.

Moja nauka jest prosta: nie wstrzymuj życia. Nie czekaj na dzień jutrzejszy; on nie nadejdzie nigdy. Przeżyj to dziś!

Jezus mówi do uczniów: „Spójrzcie na lilie. Nie pracują, nie przędą, nie kręcą się – a przecież nawet Salomon nie był tak piękny jak te biedne kwiaty lilii".

W czym tkwi piękno zwykłego kwiatu? W jego pełnej akceptacji samego siebie. Nie ma wgranego programu, nakazującego mu stać się lepszym. Istnieje tutaj i teraz – tańcząc na wietrze, kąpiąc się w słońcu, rozmawiając z chmurami, ucinając sobie popołudniową drzemkę w ciepłym otoczeniu, flirtując z motylami... ciesząc się, żyjąc, kochając, będąc kochanym.

Jeśli jesteś otwarty, wszystko, co istnieje, zaczyna przelewać w ciebie swoją energię. Wtedy drzewa wyglądają na bardziej zielone, niż to widzisz dzisiaj, a słońce – jakby na bardziej słoneczne; wtedy wszystko wokół staje się psychodeliczne, staje się kolorowe. W przeciwnym razie wszystko jest bure, nudne i szarawe.

To brzmi jak modlitwa: akceptuj siebie. To brzmi jak wyraz wdzięczności: akceptuj siebie. Rozluźnij się, Bóg chce cię widzieć właśnie takim, jaki jesteś. Nie chce, żebyś był choćby odrobinę inny; bo gdyby tego chciał, uczyniłby cię kimś innym. Stworzył ciebie właśnie takim, stworzył ciebie – a nie kogoś innego. Chcąc się udoskonalić, chcesz jednocześnie poprawiać Boga – co jest oczywistą głupotą i doprowadzi cię jedynie do szaleństwa. Niczego nie osiągniesz, po prostu przegapisz wspaniałą okazję.

> **Życie nie jest sknerą, Istnienie rozdaje szczodrze, lecz my nie umiemy brać, bo wydaje nam się, że nie jesteśmy tego godni.**

Niech akceptowanie stanie się twoim kolorem. Niech zgoda, głęboka zgoda będzie jedną z twoich cech. A wtedy naprawdę się zdziwisz: życie jest zawsze gotowe obsypywać cię podarunkami. Życie nie jest sknerą, Istnienie rozdaje szczodrze, lecz my nie umiemy brać, bo wydaje nam się, że nie jesteśmy tego godni.

Dlatego ludzie lgną do tego, co marne – to jest kompatybilne z ich oprogramowaniem. Ludzie wymierzają sobie kary na tysiące przeróżnych zamaskowanych sposobów. Dlaczego? Bo to pozostaje w zgodzie z programem. Jeśli nie jesteś taki, jakim być powinieneś, musisz się ukarać, musisz sobie wyznaczyć pokutę. Dlatego właśnie ludzie czują się dobrze, kiedy żyją w nędzy.

Pozwól, że ci to jasno powiem: ludzie czują się zadowoleni, żyjąc w biedzie, a kiedy czują się szczęśliwi, przysparza im to obaw. Zaobserwowałem to u tysięcy ludzi: jeśli żyją nędznie, to wszystko jest w porządku. Godzą się na to – takie mają oprogramowanie, tak działa ich umysł. Wiedzą, jacy są okropni, wiedzą, że są grzesznikami.

Powiedziano ci, że urodziłeś się przepełniony grzechem. Co za głupota! Jaki to nonsens! Człowiek nie rodzi się grzeszny, człowiek rodzi się niewinny. Nigdy nie było żadnego grzechu pierworodnego, jest jedynie pierworodna niewinność. Każde dziecko zrodzone jest w niewinności. A my narzucamy mu poczucie winy; mówimy: „Tak ma być. Masz być właśnie taki". A dziecko jest naturalne i niewinne. Karzemy je za naturalność i niewinność, a wynagradzamy za sztuczność i cwaniactwo. Nagradzamy je za bycie pozerem – wszystkie nasze nagrody przypadają w udziale pozerom. Nie ma nagród dla ludzi naturalnych; nie poświęcamy im uwagi, nie mamy dla nich szacunku. Niewinny jest przeklęty, myśli się o nim prawie jak o kryminaliście. Niewinnego uważa się za głupka, pozer jawi się jako ktoś inteligentny. Pozer jest akceptowany – pasuje do społeczeństwa pozerów.

> **Człowiek nie rodzi się grzeszny, człowiek rodzi się niewinny. Nigdy nie było żadnego grzechu pierworodnego, jest jedynie pierworodna niewinność.**

Całe twoje życie będzie obarczone wysiłkiem podejmowanym w celu wymierzania sobie coraz to nowych kar. Przecież cokolwiek zrobisz, jest to złe, musisz karać się za każdą radość, która cię spotyka. Nie jesteś zadowolony, kiedy coś pięknego zdarza ci się bez twojego udziału, kiedy szczęście przychodzi wbrew tobie, kiedy Bóg po prostu zrzuca je na ciebie. Wtedy natychmiast zaczynasz wymierzać sobie karę. Myślisz, że to jakaś pomyłka, że nie powinno się to zdarzyć komuś tak okropnemu jak ty.

Całkiem niedawno pewien człowiek zapytał mnie: „Mówisz, Osho, o miłości, o dawaniu swojej miłości. Ale co ja właściwie mam do dania? Co mogę zaoferować mojej ukochanej?".

Każdy myśli sobie w duchu: „Nic nie mam". A czego właściwie nie masz? Niestety, nikt ci nie powiedział, że masz w sobie piękno wszystkich kwiatów – bo człowiek jest najpiękniejszym kwiatem na tej planecie, najbardziej rozwiniętym stworzeniem. Żaden ptak nie może zaśpiewać piosenki, tak jak ty – ptasie trele to proste dźwięki; oczywiście są piękne, bo rodzą się z niewinności. Ty możesz zaśpiewać dużo lepsze piosenki, mające wiele głębi, wiele znaczeń. Ale pytasz mnie: „Co ja takiego mam?".

Drzewa są zielone, przepiękne, gwiazdy są cudowne i cudowne są rzeki – ale czy kiedykolwiek widziałeś coś piękniejszego niż twarz drugiego człowieka? Czy udało ci się znaleźć kiedykolwiek coś piękniejszego niż wyraz jego oczu? Na całej ziemi nie ma nic bardziej delikatnego niż ludzkie oczy – żaden lotos, żadna rosa – jaką one mają głębię! A ty pytasz: „Co ja mam do zaoferowania miłości?". Zapewne prowadziłeś życie pełne samopotępienia; zapewne zaniżałeś swoją wartość, sam się obciążałeś bagażem kar.

Jeśli ktoś cię kocha, jesteś tym zdziwiony. „Co? Mnie? Ten człowiek kocha mnie?". I natychmiast zaczynasz myśleć: „To tylko dlatego, że mnie nie zna. Gdyby mnie poznał, przejrzał mnie na wylot, nigdy by się we mnie nie zakochał". I kochankowie zaczynają się maskować przed sobą. Wiele spraw trzymają tylko dla siebie, nie zdradzają swych sekretów, ponieważ boją się, że miłość musi się skończyć, gdy otworzą serce – przecież nie kochają siebie samych, jakże więc mogliby wzbudzić miłość kogoś innego?

> **Naturalna miłość do siebie jest konieczna, jest sprawą zasadniczą. Tylko wtedy, dzięki niej, możesz kochać kogoś innego.**

Miłość zaczyna się od pokochania siebie samego. Nie bądź egoistą, ale bądź pewien siebie. To dwie różne rzeczy. Nie bądź Narcyzem, nie popadaj w obsesję na swój temat, ale naturalna miłość do siebie jest konieczna, jest sprawą zasadniczą. Tylko wtedy, dzięki niej, możesz kochać kogoś innego.

Akceptuj siebie, kochaj siebie, jesteś Boskim stworzeniem. Nosisz w sobie Boski znak i jesteś wyjątkowy, unikalny. Nigdy wcześniej nie było kogoś takiego jak ty i nigdy nie będzie – jesteś niepowtarzalny i nieporównywalny do nikogo. Zaakceptuj to, pogódź się z tym, ciesz się tym – a dzięki temu radosnemu nastawieniu zaczniesz dostrzegać unikalność innych, nieporównywalne piękno innych. Miłość jest możliwa jedynie poprzez głęboką akceptację siebie, drugiego człowieka, świata. Akceptacja stwarza środowisko przyjazne rozwojowi miłości, jest glebą, w której miłość rozkwita.

Pozwól sobie na słabość

Lao Cy mówi:

Człowiek rodzi się delikatny i słaby, a wraz z upływem czasu staje się twardy i sztywny. Rośliny, kiedy są żywe – zachowują miękkość i giętkość, po śmierci stają się kruche i wysuszone. Twardość i brak giętkości towarzyszą śmierci, miękkość i giętkość to oznaki życia.

Dlatego właśnie armia twardogłowych zwykle przegrywa bitwę. Drzewo, ponieważ jest twarde, zostanie ścięte. To, co ogromne i mocne, leży nisko w dole; delikatne i słabe leży na samej górze.

Życie jest rzeką, przepływem, procesem bez początku i końca. Donikąd nie zmierza, zawsze jest obecne. Nie zmienia miejsca, zawsze przemieszcza się z tutaj do tutaj. Jedynym czasem, jaki zna, jest teraz, a jedynym miejscem – tutaj. Nie wysila się, by coś osiągnąć, nie ma nic do osiągania. Nie wysila się, by coś zdobywać, nie ma nic do zdobywania. Nie stara się niczego chronić, bo nie ma takiej potrzeby. Istnieje tylko życie, tylko i wyłącznie ono, cudowne i majestatyczne w swej samotności.

Możesz przeżyć życie na dwa sposoby: płynąc wraz z nim – wtedy także jesteś majestatyczny, masz wiele wdzięku, ponieważ nie ulegasz przemocy, konfliktom, wysiłkowi. Przydaje ci to piękna właściwego dziecku, właściwego kwiatom, miękkiego, delikatnego, niezeszpeconego. Kiedy płyniesz z nurtem życia, jesteś religijny. Oto co oznacza religia dla takich jak Lao Cy lub ja.

Zwykle przyjmuje się, że religia polega na walce z samym sobą, w imię Boga. Zwykle przyjmuje się także, że celem jest Bóg, a życie należy odrzucić i przeciwstawiać mu się. Trzeba poświęcić życie, aby dotrzeć do Boga. Taka religia to nie religia. To po prostu część nastawionego na przemoc i agresję umysłu.

Nie ma Boga poza życiem; życie jest Bogiem. Zaprzeczając życiu, zaprzeczasz Bogu; poświęcając życie, poświęcasz Boga. Pośród wszystkiego, co dedykujesz, jedynie Bóg jest ofiarą. George Gurdżijew zwykł mawiać, że wszystkie religie są przeciwne Bogu. Może ci się to wydać paradoksem, ale to prawda. Jeśli życie jest Bogiem, to zaprzeczając mu, zrzekając się go, poświęcając je, występujesz przeciwko Bogu. Gurdżijew zapewne niewiele wiedział o Lao Cy. A nawet jeśli, to i tak podzieliłby jego pogląd, bo Lao Cy był religijny w zwyczajnym rozumieniu tego słowa. Był jak poeta, jak muzyk, jak artysta, jak twórca, a nie jak teolog, ksiądz, kaznodzieja, filozof. Był on taki prosty, że wcale nie wydaje ci się religijny. Ale być prawdziwie religijnym znaczy żyć tak zwyczajnie, żeby część nie występowała przeciwko całości, lecz płynęła wraz z nią. Być religijnym znaczy nie oddzielać się od nurtu życia.

> Jeśli masz cel, jesteś niereligijny. Jeśli myślisz w kategoriach przyszłości, już przegapiłeś religię. Religia nie ma w sobie pojęcia „jutro". Wszystko, co jest, jest teraz. Wszystko, co żyje, żyje teraz. Czas teraźniejszy jest jedynym istniejącym czasem, jedyną wiecznością.

Być niereligijnym to mieć swój własny umysł wiecznie podporządkowany wysiłkom, aby zwyciężyć, pokonać, dokądś dojść. Jeśli masz cel, jesteś niereligijny. Jeśli myślisz w kategoriach przyszłości, już przegapiłeś religię. Religia nie ma w sobie pojęcia „jutro". Dlatego Jezus mówi: „Nie myśl o jutrze. Spójrz na lilie; one kwitną teraz". Wszystko, co jest, jest teraz. Wszystko, co żyje, żyje teraz. Czas teraźniejszy jest jedynym istniejącym czasem, jedyną wiecznością.

Są dwie możliwości. Jedna z nich to walka z życiem, ustanawianie własnych celów wbrew życiu; a każdy cel jest twój własny, twój osobisty. Starasz się odcisnąć na życiu znaki, tak by pokazać, że coś należy do ciebie. Próbujesz ciągnąć życie za sobą. Jesteś jego maleńką cząsteczką, niemal niezauważalną, tak znikomą, a próbujesz pociągnąć za sobą cały wszechświat. Oczywiście jesteś skazany na porażkę. Jesteś skazany na utratę swojego wdzięku, na stanie się stwardniałym. Walka czyni twardym. Nawet sama myśl o walce wywołuje w nas napięcie. Postanawiasz się sprzeciwić, a dokoła ciebie natychmiast pojawia się skorupa okrywająca cię jak kokon. Posiadanie określonego celu czyni cię wyspą, nie jesteś już częścią rozległego kontynentu – życia. Oddzielony od życia jesteś jak drzewo oddzielone od ziemi. Może posiadasz jakieś resztki pożywienia, ale tak naprawdę – umierasz. Drzewo potrzebuje korzeni; drzewo musi rosnąć w ziemi, jako jedność z nią, jako jej cząstka.

Potrzebujesz związku z kontynentem życia, bycia jego częścią, bycia zakorzenionym. Gdy zapuścisz korzenie w życiu, staniesz się miękki, bo nie będziesz się niczego obawiał. Lęk wywołuje stwardnienie. Lęk prowokuje myśli o poczuciu bezpieczeństwa, o chronieniu siebie. A nic nie zabija tak jak lęk, bo w chwili, gdy się pojawia, stajesz się oddzielony od ziemi, wykorzeniony.

Wtedy zaczynasz żyć przeszłością – dlatego tak dużo o niej myślisz. To nie przypadek. Umysł zawsze myśli albo o przeszłości, albo o przyszłości. Po co tyle myśleć o przeszłości? Co było, nie wróci! Nie można tego odtworzyć. Przeszłość jest martwa! Po co ciągle o niej myślisz, mimo że jej już nie ma i nie można jej przywrócić? Nie odżyje, nie możesz do niej wrócić, ale ona może zniszczyć twoją chwilę obecną. Dlaczego tak się dzieje? Dlatego że walczysz przeciwko pełni, przeciwko całości. Zwalczasz ją, prowadzisz wojnę z rzeką życia, jesteś wykorzeniony. Stałeś się maleńki, zamknąłeś się sam w sobie jak w jakiejś kapsułce. Jesteś jednostką, nie częścią rozwijającego się wszechświata, przestrzeni. Musisz żyć jak nędzarz, posiłkując się resztkami z przeszłości; dlatego umysł wciąż ją przywołuje.

A na dodatek musisz przygotować się do walki; z tego powodu rozmyślasz o przyszłości. Przyszłość daje nadzieję, przeszłość dostarcza pożywienia, a pomiędzy nimi znajduje się wieczność, pełnia życia, którą przegapiasz. Zamiast żyć, ty umierasz zawieszony pomiędzy swoją przeszłością i przyszłością.

Jest inny sposób – tak naprawdę jedyny właściwy; bo ten poprzedni nie powinien się w ogóle liczyć; walka to nie sposób na życie. Ten inny sposób polega na płynięciu z nurtem życia, tak blisko niego, żeby nie odczuwać swojej oddzielności, aby stopić się z nim, zanurzyć się w nim, stać się tym nurtem. Zaprzestając walki, stajesz się życiem. Zaprzestając stawiania oporu, stajesz się przestrzenią, nieskończonością. Taki stan poddania, zaufania nazywamy na Wschodzie *shraddha* – wiara w życie. Nie wierzysz swojemu umysłowi, lecz pełni. Ufasz nie cząsteczce, lecz całości, nie umysłowi, lecz Istnieniu. Poddawszy się, nagle robisz się miękki, bo nie ma powodu być twardym. Nie walczysz, bo nie ma wroga. Nie ma powodu niczego ochraniać, nie ma potrzeby bezpieczeństwa; już złączyłeś się z życiem.

Życie jest bezpieczne! Tylko pojedyncze ego ma poczucie braku bezpieczeństwa, potrzebuje ochrony, zabezpieczenia, zbroi wokół siebie. Boi się, trzęsie się ze strachu – jak mogłoby żyć? Cierpisz katusze i boisz się. To nie jest życie. Tracisz całą przyjemność, czystą radość z bycia tutaj – bo to jest przecież czysta radość. Nie wynika ona z niczego innego jak tylko z faktu, że jesteś. Gdy już się otworzysz, płynąc z nurtem, będziesz kipieć z radości i to bez powodu. Po prostu pojmiesz, że być oznacza być szczęśliwym.

To dlatego Hindusi nazwali to, co najważniejsze, *satchitananda* – prawda, świadomość, błogość. Oznacza to, że „być" znaczy być pełnym błogosławieństwa, być prawdziwym znaczy być szczęśliwym. Nie ma innego sposobu na życie. Jeśli czujesz się przygnębiony, to dowodzi, że straciłeś kontakt z Istnieniem. Przygnębienie oznacza, że oderwałeś się od ziemi; oddzieliłeś się od rzeki, stałeś się bryłą lodu na wodzie, lecz nie rzeką. Walczysz, usiłujesz płynąć pod prąd – a ego zawsze chce płynąć pod prąd, bo wszelkie wyzwania przydają mu doskonałego samopoczucia. Ego zawsze szuka konfliktów. Jeśli nie możesz znaleźć kogoś, z kim mógłbyś walczyć, czujesz się okropnie. Potrzebny jest ktoś, z kim można walczyć. W walce czujesz się dobrze, czujesz, że jesteś. Ale to patologiczny, neurotyczny sposób na życie. Neuroza sprzeciwia się rzece. Walcząc, stajesz się twardy. Walcząc, otaczasz się ścianą. Twoje życie staje się martwe. Tracisz miękkość, jasność, wdzięk, delikatność. Nie ma w tobie życia, jedynie wleczesz się z trudem.

Lao Cy popiera uległość. Mówi: „Poddaj się życiu. Pozwól życiu prowadzić cię, nie próbuj prowadzić życia. Nie manipuluj i nie kontroluj życia, pozwól mu manipulować i zarządzać tobą. Daj mu zawładnąć sobą. Poddaj się, po prostu powiedz, że już nie będziesz się sprzeciwiał. Oddaj życiu całą władzę i bądź razem z nim".

> **Kiedy nie ma ego, po raz pierwszy pojawiasz się ty.**

Trudno tego dokonać, bo ego mówi: „To po co ja tu jestem? Jeśli się poddasz, zniknę". Jednak kiedy nie ma ego, po raz pierwszy pojawiasz się ty. Po raz pierwszy nie jesteś ograniczony, jesteś bezkresny. Po raz pierwszy nie jesteś zamknięty w ciele; jesteś bezcielesny, przeogromny, wciąż się rozwijasz – bez początku i bez końca.

Ego nic o tym nie wie. Boi się. Mówi: „Cóż ty wyprawiasz, chcesz zatracić siebie? Będziesz nikim, zagubisz się". Jeśli posłuchasz, ego doprowadzi cię znów do ścieżki wiodącej ku byciu „kimś". Im bardziej stajesz się „kimś", tym bardziej życie w tobie zanika. Przyjrzyj się ludziom, którzy odnieśli sukces, których nazwiska pojawiają się w książkach typu „Kto jest kim". Popatrz na nich, obserwuj ich: zauważysz, że ich życie jest sztuczne. Są maskami, nie mają nic wewnątrz – słomiane kukły, może wypchane, ale bez życia. Pustka.

Zwróć uwagę na ludzi, którzy odnieśli światowe sukcesy, stali się „kimś" – prezydentów, premierów, bogaczy, którzy zdobyli wszystko, co tylko można zdobyć na świecie. Popatrz na nich, dotknij ich, przyjrzyj się; poczujesz powiew śmierci. Nie mają pulsujących serc. Może one nadal biją, ale te uderzenia są mechaniczne, zatraciły poezję. Patrzą na ciebie, ale ich wzrok jest mętny; nie ma w nim blasku życia. Podadzą ci dłoń, która jest zimna i sztywna. Nie poczujesz przepływającej energii, nie będzie w niej skierowanego do ciebie ciepła. Martwa dłoń – ma swoją wagę, ale ani grama miłości. Popatrz wokół nich – żyją w piekle. Odnieśli sukces, stali się ważni, a teraz otacza ich piekło. Ty też jesteś na tej drodze, jeśli usiłujesz stać się „kimś".

Lao Cy mówi, żebyś był nikim, a wtedy będzie przez ciebie przepływać niekończące się życie. Stanie się „kimś" jest jak tama na rzece życia. Bycie nikim to bezkresna przestrzeń, zgoda na wszystko. Mogą przepływać chmury, jaśnieć gwiazdy i nic im nie przeszkadza. A ty nie masz nic do stracenia, bo to, co możesz stracić – już oddałeś.

Z takim podejściem do życia człowiek pozostaje na zawsze młody. Ciało się starzeje, ale wewnętrzny rdzeń twojej istoty pozostaje młody i świeży. Nigdy się nie starzeje, nigdy nie umiera. I – według Lao Cy – jest to jedyna droga prowadząca do prawdziwej religijności. Płyń z Tao, poruszaj się z Tao, nie twórz prywatnych celów i rozwiązań. Pełnia wie lepiej, ty po prostu bądź jej częścią. Pełnia cię stworzyła, wraz z tobą oddycha, żyje w tobie. Czemu się martwisz? Pozwól jej wziąć odpowiedzialność. Ty po prostu idź tam, dokąd cię poprowadzi. Niczego nie forsuj i nie planuj, nie pytaj o żadne konkretne plany, bo doprowadzą cię do frustracji, staniesz się twardy i stracisz szansę na bycie żywym.

I w tym właśnie rzecz: jeśli godzisz się na życie, pojawia się coraz więcej życia; jeśli pozwolisz sobie na bycie żywym, pojawi się jeszcze więcej życia. Jezus powtarza: „Przyjdźcie do mnie, a pokażę wam, jak żyć wiecznie, jak żyć dostatnio". Życie nas zalewa, otacza. A my jesteśmy jak żebracy. Czyja to wina? Mogliśmy być jak cesarze. Jedyną przyczyną tej biedy jest przyleganie do własnego ego.

A teraz sutra:

Człowiek rodzi się delikatny i słaby.

Spójrz na nowo narodzone dziecko. Nie otacza go skorupa, jest podatne, otwarte, miękkie – życie w swej najczystszej formie. Ten stan nie będzie trwał długo; wkrótce zaczną w nie wrastać różne osobowości, znajdzie się w klatce, stanie się więźniem społeczeństwa, rodziców, szkół, uniwersytetów; wkrótce życie oddali się od niego. Będzie przypominać więzienie. Gdzieś w oddali życie będzie nadal pulsować, ale ten dźwięk nie będzie dla dziecka słyszalny.

Popatrz uważnie na noworodka. Ten cud ciągle się powtarza. Życie niezmordowanie próbuje pokazać ci, jak żyć, kim być; usiłuje ci powiedzieć, że każdego dnia jest inne. Starzy ludzie umierają, dzieci się rodzą, więc jaki to wszystko ma sens? Życie nie wierzy w starość. Powiem więcej, gdyby życie było zarządzane przez ekonomistów, wydawałoby się bardzo nieekonomiczne; przynosi straty. Stary człowiek, wyuczony, doświadczony w sprawach życiowych i światowych, kiedy już jest gotowy, kiedy osiągnął mądrość, zabierany jest przez śmierć i zastępowany maleńkim dzieckiem pozbawionym wiedzy, mądrości, czystym jak tabula rasa; wszystko trzeba zapisywać od nowa. Ekonomiści powiedzą, że to głupie! Bóg powinien był zapytać ich o radę. Co on wyprawia? To ogromne marnotrawstwo. Pełen wiedzy osiemdziesięciolatek umiera, a zastępuje go dziecko nieposiadające żadnej wiedzy. Powinno być inaczej, wtedy miałoby to jakiś ekonomiczny sens.

Jednak życie nie wierzy w ekonomię. I całe szczęście, bo gdyby postępowało według jej zasad, to cały świat zamieniłby się w cmentarz. Życie wierzy w życie, nie w ekonomię. Kontynuuje wymianę starych ludzi na nowych, umarłych na młodych, stwardniałych na elastycznych. Wskazówka jest oczywista: życie kocha miękkość, bo poprzez miękką istotę łatwiej mu płynąć.

> Kiedy nadchodzi burza, wielkie i mocne drzewa przewracają się. Małe roślinki się po prostu ugną, a kiedy burza przeminie, znów będą uśmiechać się i kwitnąć.

Człowiek rodzi się delikatny i słaby.

Lao Cy upiera się także przy tym, że życie nie wierzy w siłę. Słabość ma swoje piękno, jest delikatna i miękka. Kiedy nadchodzi burza, wielkie i mocne drzewa przewracają się. Małe roślinki się po prostu ugną, a kiedy burza przeminie, znów będą uśmiechać się i kwitnąć. Burza po prostu je odświeża, zbiera z nich kurz, to wszystko. Stają się one żywsze, młodsze, świeższe, a burza jest dla nich niczym kąpiel. Stare, bardzo mocne drzewa upadły, bo stawiały opór. Nie ugięły się, były nastawione egoistycznie.

Lao Cy mówi: „Życie kocha słabych". I takie jest też znaczenie słów Jezusa: „Błogosławieni cisi, bo do nich należy ziemia. Błogosławieni ubodzy duchem. Błogosławieni ci, którzy płaczą, bo będą pocieszeni". Chrześcijaństwo opacznie interpretuje znaczenie słów Jezusa; tak naprawdę ich autorem był Lao Cy. A dopóki nie są one kojarzone z Lao Cy, nie mogą być dobrze zrozumiane. Cała nauka Jezusa zawiera się w słowach: „Żyj i bądź słaby". To dlatego mówi on, że jeśli ktoś wymierzy ci policzek, powinieneś nadstawić także i drugi. Jeśli ktoś zabierze ci płaszcz, daj mu także swą koszulę. A jeśli ktoś każe ci iść z nim milę, przejdź dwie mile. Jezus naucza: „Bądź słaby. Błogosławieni cisi".

Co takiego błogosławionego jest w słabości? Przecież zwykle tak zwani liderzy świata, najsławniejsi nauczyciele mówią: „Bądź silny". Lao Cy i Jezus mówią: „Bądź słaby". Słabość coś w sobie ma. Nie jest twarda. Bycie silnym wymaga twardości. Aby być twardym, trzeba iść pod prąd życia. Jeśli chcesz stać się silnym, będziesz zwalczał płynność. Nie ma innego sposobu na osiągnięcie siły. Chcesz być silny – idź pod prąd. Im bardziej rzeka cię odpycha, tym mocniejszy się staniesz. Aby pozostać słabym, płyń z nurtem rzeki; dokądkolwiek zmierza, podążaj i ty. Jeśli rzeka powie: „przepłyń ze mną milę", ty przepłyń dwie. Jeśli rzeka zabierze twój płaszcz, oddaj też koszulę. Jeśli rzeka uderzy cię w jeden policzek, nadstaw drugi.

> **Słabość ma w sobie szczególne piękno. To piękno pełne jest wdzięku. Ma ono w sobie wiele z łagodności, miłości i wybaczania.**

Słabość ma w sobie szczególne piękno. To piękno pełne jest wdzięku. To piękno ma w sobie brak agresji, *ahimsa*. Ma ono w sobie wiele z łagodności, miłości i wybaczania, braku konfliktów. I dopóki Lao Cy nie zostanie dokładnie zrozumiany, dopóki ludzkość go nie poczuje, nie będzie żyła w pokoju.

Jeśli mówią ci, że masz być silny, jesteś przygotowywany do walki; wojny będą więc trwały. Wszyscy przywódcy polityczni mówią, że kochają pokój i dlatego przygotowują się do wojny. Przekonują, że popierają pokój, a jednak się zbroją. Mówią o pokoju, szykując wojnę, oraz że musieli się uzbroić, bo się boją innych. Ci drudzy mówią to samo! To idiotyczne, głupie. Chiny boją się Indii. Indie boją się Chin. Czemu nie dostrzegasz, o co tu naprawdę chodzi! Rosja boi się Ameryki, Ameryka boi się Rosji. Obie strony mówią o pokoju, ale szykują się do wojny. To dlatego wojna zwykle się w końcu wydarza.

> Wszyscy przywódcy polityczni mówią, że kochają pokój i dlatego przygotowują się do wojny. Przekonują, że popierają pokój, a jednak się zbroją. Od stuleci ludzkość żyje tylko w dwóch cyklach: okres wojenny i okres przygotowań do wojny.

Pokojowe negocjacje nie mają żadnej wartości. Cała ta zimna wojna polega właśnie na rozmowach w sprawie pokoju. Rzecz w tym, że politycy potrzebują czasu. Podejmują rozmowy o pokoju, by zyskać na czasie i uzbroić się. Od stuleci ludzkość żyje tylko w dwóch cyklach: okres wojenny i okres przygotowań do wojny. Tylko takie dwa okresy. Cała historia ludzkości wygląda dosyć neurotycznie.

Tak jednak pozostanie, bo nagradzamy siłę, nagradzamy ego. Jeśli widzisz, jak na drodze walczy dwóch ludzi, jeden jest silniejszy niż drugi, ten słabszy upada, a silny siada na jego piersi – to kogo szanujesz? Tego, który stał się zdobywcą? To znaczy, że jesteś agresywny, że popierasz wojnę. Jesteś podżegaczem, jesteś niebezpieczny i neurotyczny. A może szanujesz tego, który przegrał? Nikt nie szanuje przegranych; nikt nie chce mieć nic wspólnego ze słabymi, bo w duchu każdy chce być silny.

Gdy imponuje ci ktoś silny, mówisz: „Tak, to mój ideał. Chciałbym być taki jak on". Nagradzanie siły to nagradzanie przemocy. Nagradzanie siły to nagradzanie śmierci, bowiem siła zabija zarówno ciebie, jak i innych. Siła jest jednocześnie mordercą i samobójcą.

Słabość – już samo to słowo brzmi jak potępienie. Ale czym jest słabość? Kwiat jest słaby. Kamień leżący obok kwiatu jest bardzo mocny. Wolałbyś być jak kamień, czy jak kwiat? Pamiętaj, kwiat jest bardzo słaby. Lekki wiaterek – i po kwiatku. Płatki opadną na ziemię. Kwiat jest cudem; cudowny jest sposób, w jaki istnieje. Taki słaby, taki miękki! Wydaje się to niemożliwe; czy to w ogóle możliwe? Kamienie wyglądają porządnie; istnieją, mają swoją arytmetykę życia. Ale kwiat? Nie ma żadnego wsparcia, a jednak istnieje; oto cud.

Czy chciałbyś być jak kwiat? Jeśli zadasz sobie to pytanie, twoje ego odpowie: „Bądź jak skała". Nawet jeżeli będziesz się upierał, mówił, że kamienie są brzydkie, ego odpowie: „Ponieważ się upierasz, dobrze, bądź kwiatem, ale plastikowym. Będziesz silny. Wiatr nie będzie ci przeszkadzał, nie przemokniesz na deszczu i będziesz wieczny". Prawdziwy kwiat pojawia się o poranku, śmieje się przez chwilę, rozsiewa zapach i ginie. Kwiat sztuczny, plastikowy, może trwać całe lata. Jest nieprawdziwy i dlatego jest mocny. Prawdziwa rzeczywistość jest miękka i delikatna, tym bardziej miękka, im prawdziwsza.

Nie pojmiesz Boga, bo twój umysł rozumie tylko logikę skał. Nie rozumiesz logiki kwiatów. Twój umysł rozumie matematykę. Nie masz zmysłu estetyki, który pozwoliłby ci wczuć się w kwiat. Tylko umysł poetycki jest w stanie pojąć możliwość istnienia Boga, gdyż Bóg jest najdelikatniejszy i najsłabszy. Dlatego jest jakby najwspanialszym, najdoskonalszym kwiatem. Rozkwita, ale jedynie na ułamek sekundy. Ta chwila to właśnie teraźniejszość. Łatwo przegapić ten moment... jest przecież tak krótki, aby go uchwycić potrzeba wytężonej uwagi; jedynie wtedy go dostrzeżesz, w przeciwnym razie przejdzie niezauważony. Rozkwit następuje co chwilę, zawsze jest jakiś kwiat, ale ze względu na twój umysł, tkwiący w przeszłości i wyglądający przyszłości, nie widzisz tego. Teraźniejszość jest tak krótkotrwałym zjawiskiem; mrugnięcie powiek i znika. W tym właśnie krótkim momencie rozkwita Bóg.

Jest to czymś najwspanialszym, czymś najwyższym, dlatego musi pozostać najdelikatniejszym, najsłabszym. To szczyt szczytów, ostatnie apogeum, ponad którym nie ma już niczego. Pojmiesz Boga, kiedy zrozumiesz logikę miękkości i słabości. Jeśli usiłujesz być silnym – zdobywcą, żołnierzem, wojownikiem – spędzisz życie pośród skał, nie kwiatów, a Bóg pozostanie dla ciebie zjawiskiem odległym. Nie uda ci się odnaleźć Boga w żadnym momencie twojego życia.

Człowiek rodzi się delikatny i słaby, a umierając jest twardy i sztywny.

Takie też powinno stać się twoje życie: pozostań miękki i słaby, nie staraj się być twardy i zaspawany, bo sprowadzasz na siebie śmierć. Ona i tak któregoś dnia nadejdzie, ale nie to stanowi problem. To nie śmierci się obawiamy, nie ona jest tu przeszkodą. Rzecz w tym, byś nie stał się martwy za życia. Śmierć sama w sobie jest bardzo miękka, nawet bardziej niż życie, jest delikatna. Możesz słyszeć odgłosy życia, ale nie usłyszysz śmierci. Kiedy nadchodzi, jest tak mięciutka, że nie wyczujesz, kiedy się zbliża. Jest taka słaba, taka czuła… nie, ona nie jest problemem. Przeszkodę stanowi martwota, w której obecnie żyjesz. Nie chodzi o to, żeby nigdy nie umrzeć. Ważne jest, aby nie umrzeć za życia. Śmierć przed śmiercią – oto twój problem. Jesteś twardy, zamknięty. Leibnitz nazwał to monadą. Monada to coś zamkniętego w czymś na wzór kapsuły, tak szczelnie, że nawet nie ma tam okien, by wyjrzeć na zewnątrz lub z zewnątrz zajrzeć do środka. Monada jest dokładnie zamkniętą celą bez okien. Nazwa „monada" wywodzi się z tego samego rdzenia, co wyrazy: monopol, monastyr, monogamia, mnich (w języku angielskim monk – przyp. tłum.). Mnich to ten, kto żyje w samotności; monastyr to miejsce, w którym ludzie żyją samotnie. Kiedy jesteś całkowicie zamknięty, w celi śmierci, jesteś w monastyrze. Mieszkasz w jaskini sam ze sobą, nie możesz dotrzeć do innych, inni nie mają dostępu do ciebie. Jesteś całkowicie zamknięty.

> **Nie chodzi o to, żeby nigdy nie umrzeć. Ważne jest, aby nie umrzeć za życia. Śmierć przed śmiercią – oto twój problem. Bądź jak dziecko i na zawsze zachowaj czystość i delikatność z dzieciństwa.**

Oto powolne sztywnienie, powolna śmierć. Czujesz się okropnie, za wszelką cenę poszukujesz sposobów na to, by poczuć się lepiej. Sam stwarzasz swoje nieszczęście, będąc twardym i sztywnym, a potem starasz się zrobić coś, co poprawi ci samopoczucie. A przecież, jeżeli zrozumiałeś przyczynę swojego smutku – możesz się go pozbyć natychmiast. Bądź miękki, płynny.

Bądź jak dziecko i na zawsze zachowaj czystość i delikatność z dzieciństwa. Nie trać z nimi kontaktu, a ku swojemu zdumieniu, pewnego dnia odkryjesz, że to dziecko, którym byłeś pięćdziesiąt lat temu, nadal w tobie żyje. Jeżeli uda ci się nawiązać z nim kontakt, wtedy znów staniesz się dzieckiem.

Kontakt nigdy nie zostaje przerwany, bo to część twojego życia; zawsze jest dostępny. Kiedy stajesz się nastolatkiem, dziecko w tobie nie umiera, kiedy stajesz się dorosłym, nastolatek nie umiera. Tak się nie dzieje. Kolejne warstwy nakładają się na siebie, ale wewnętrzny rdzeń pozostaje taki sam – dziecko, którym się urodziłeś, jest nadal w tobie. Nagromadziło się wokół niego wiele powłok, ale kiedy przedostaniesz się przez nie – nagle dziecko rozprzestrzeni się w tobie. To będzie jak ekstaza.

Jezus powiedział: „Jeśli nie staniecie się dziećmi, nie wejdziecie do Królestwa Bożego". Miał na myśli to, o czym teraz mówię. Jeśli przenikniesz przez swoją twardą skorupę, otaczające cię ściany, wiele twardych warstw, nagle rozprzestrzeni się w tobie dziecko. Znów spojrzysz na świat niewinnymi oczyma. W takich chwilach pojawia się Bóg.

Pojęcie Boga nie należy do kategorii filozoficznych. To po prostu postrzeganie świata oczami dziecka. Ten sam świat: te same kwiaty, te same drzewa, niebo i ty nagle otrzymuje nową jakość – boskość, dzięki temu, że patrzysz oczami dziecka. Potrzebne jest jedynie czyste, miękkie, czułe serce. To nie Bóg się gdzieś zapodział, to ty się zagubiłeś. To nie Bóg jest nieobecny, ale ty.

Człowiek rodzi się delikatny i słaby, a umierając jest twardy i sztywny. Rośliny, kiedy są żywe, zachowują miękkość i giętkość, po śmierci stają się kruche i wysuszone.

Ucz się. Życie naucza cię na wiele sposobów. Życie samo wskazuje właściwą dla ciebie ścieżkę. Toteż twardość i brak giętkości towarzyszą śmierci, miękkość i giętkość to oznaki życia.

> **Żyj w taki sposób, żebyś w każdej kolejnej chwili był wolny od chwili poprzedniej. Życie nie jest problemem do rozwiązania, lecz tajemnicą, którą należy przeżyć.**

Jeśli chcesz czuć się bardziej żywy, cudownie żywy, poszukuj towarzyszek życia: delikatności i miękkości. Wszystkie śmieci, które gromadzisz, czynią cię twardym. Żyj w taki sposób, żebyś w każdej kolejnej chwili był wolny od chwili poprzedniej. Obecnie twoja sytuacja wygląda tak: masz duży dom, wiele pokoi, a w każdym porozkładane puzzle. Cały dom jest pełen tych układanek; są na stołach, na krzesłach, na łóżkach, na podłogach, zwisają z sufitu – wszędzie dokoła puzzle, z których jeszcze żadnego nie udało ci się złożyć w całość. Próbując ułożyć jedną z układanek, masz wrażenie, że jest za trudna, więc przechodzisz do następnej. Podstawowa układanka tkwi w twojej głowie, a kilka z nich nosisz wszędzie ze sobą, do rozwiązywania w wolnej chwili. Próbujesz układać, ale bezskutecznie, bo sam jesteś nieułożony. Przechodzisz od jednego pokoju do drugiego, zataczasz koła.

Jesteś zaśmiecony nieułożonymi układankami, z dnia na dzień stajesz się przez to coraz bardziej neurotyczny. Ani jedna sprawa w twoim życiu nie została rozwiązana, wokół ciebie same łamigłówki. To cię słono kosztuje – one cię zabijają.

Nie ciągnij za sobą spraw z przeszłości; jej już nie ma. Pozbywaj się ich systematycznie, bez względu na to, czy są rozwiązane, czy nie. Już nic nie możesz z nimi zrobić, zostaw je; nie noś żadnych starych elementów, bo one i tak nie przydadzą się do rozwiązania aktualnych problemów. Przeżywaj chwilę obecną tak intensywnie, jak tylko potrafisz, a dotrze do ciebie prawda, że ponieważ poświęciłeś jej swoją uwagę – sprawa sama się rozwiązała. Nie ma już nic do układania. Życie nie jest problemem do rozwiązania, lecz tajemnicą, którą należy przeżyć. Jeśli przeżywasz ją w pełni – ukazuje ci się sama, a ty dzięki temu stajesz się piękniejszy, wzbogacony, otoczony nie łamigłówkami, ale nowymi skarbami wydobytymi z głębi twojej istoty. Z tą świeżością, z tą pełnią i zaangażowaniem przechodzisz w kolejną chwilę, a ona także pozwala się przeżyć i ułożyć.

Nie gromadź wokół siebie niedokończonych chwil z przeszłości, bo staniesz się twardy. Dlaczego dzieci są mięciutkie? Bo niczego za sobą nie ciągną. To sposób, w jaki żyją mędrcy. Kiedy dziecko jest złe, jest złe; w takiej chwili nie przejmuje się tym, co na temat złości mówi Budda. Nie przejmuje się poglądem Mahaviry. Słyszy: „Nie złość się" i jeszcze bardziej wpada we wściekłość! Jest intensywnie wściekłe, ta intensywność jest właśnie czymś pięknym. Przyjrzyj się dziecku, kiedy się naprawdę złości: całe ciałko, takie mięciutkie, takie delikatne, aż kipi od gniewu; oczy są czerwone, twarz czerwona, dziecko skacze, krzyczy, jakby chciało rozwalić ten świat. Eksplozja energii… A za chwilę złość mija i dziecko się bawi. Popatrz teraz na jego twarz – nie do wiary, że jeszcze chwilkę temu malował się na niej taki wielki gniew. Teraz dziecko całe się uśmiecha. Takie piękne, takie szczęśliwe.

Oto sposób na życie. Przez chwilę bądź, ale bądź całą pełnią, tak by niczego nie zostawiać dla przyszłej chwili. Dziecko przeżywa moment gniewu, potem idzie dalej. Jeżeli świat zgodzi się na przyjęcie lepszych metod edukacji, nie będziemy uczyć dziecka, że ma się nie złościć. Będziemy uczyć, że wolno mu się złościć, ale niech robi to całym sobą. Złość sama w sobie nie jest groźna. Niebezpieczne jest gromadzenie jej. Błyskawice gniewu są piękne i konieczne; nadają życiu jędrności. Czynią je bardziej przyprawionym. Bez tego życie byłoby mdłe, niewyraźne. Złość jest dobrym ćwiczeniem i jeśli potrafisz wejść w nią całkowicie, a następnie całkowicie, bez szwanku z niej wyjść, to nie ma w tym nic złego.

Człowiek, który złości się pełnią siebie, potrafi także być w pełni szczęśliwy, potrafi całkowicie kochać; nie chodzi bowiem o to, czy jesteś zagniewany, szczęśliwy czy zakochany. Dzięki tym doznaniom uczysz się, jak być w pełni sobą. Nie jesteś całym sobą, jeśli nie umiesz zezłościć się całkowicie.

Przeżywasz jedynie fragmenty chwil, pozostałe części wiszą w twojej głowie. Twoje usta się uśmiechają, ale są zatrute; złość nie odeszła, przeszłość wciąż tu jest, nie masz w sobie miejsca na to, by przeżywać chwilę obecną całą swoją pełnią. Przeszłość kładzie się na tobie cieniem. I to się powtarza. Czujesz się zagubiony. Życie to jeden wielki kac. Toteż nie możesz niczego przeżyć, nie możesz kochać, nie możesz się modlić, nie możesz medytować.

> Człowiek, który złości się pełnią siebie, potrafi także być w pełni szczęśliwy, potrafi całkowicie kochać; nie chodzi bowiem o to, czy jesteś zagniewany, szczęśliwy czy zakochany. Dzięki tym doznaniom uczysz się, jak być w pełni sobą.

Ludzie przychodzą do mnie i pytają: „Dlaczego, kiedy zaczynamy medytację, nagle pojawiają się nam w głowach tysiące pytań? Na co dzień ich nie ma, ale gdy chcemy medytować, natychmiast się pojawiają". Czemu tak się dzieje? Niedokończone zdarzenia – medytując, nie jesteś zajęty, więc wskakują na ciebie. Wołają: „Masz chwilę czasu, rozwiąż nas wreszcie, dopełnij nas, wypełnij. Nic teraz nie robisz – medytacja to nic-nierobienie, po prostu siedzenie. Zrób coś! Jest w tobie złość, wypuść ją. Jest w tobie miłość, daj się jej wypełnić. Jest w tobie pragnienie, spełnij je!".

Kiedy jesteś czymś zajęty, wszystkie niedokończone sprawy również cię otaczają, ale ty nigdy nie zwracasz na nie uwagi. Dopiero gdy medytujesz, usiłują przyciągnąć twoją uwagę: „Jesteśmy niedokończone!". To duchy z twojej przeszłości.

Przeżywaj każdy moment w pełni. I żyj uważnie, tak by nie ciągnąć za sobą przeszłości. To nie jest trudne – wystarczy trochę uwagi, nic więcej. Nie żyj w półśnie, nie bądź jak robot;

odrobina świadomości i będziesz w stanie wszystko zauważyć. A wtedy staniesz się miękki jak dziecko, giętki jak nowa, kiełkująca roślinka. Ta jakość może ci towarzyszyć aż do ostatniej chwili twojego życia; pozostaniesz elastyczny. Jeśli zachowasz giętkość, młodość, świeżość, śmierć przyjdzie, ale nie do ciebie. Dopóki masz w sobie życie, śmierć nie może się zdarzyć. Umierają ci, którzy i tak już nie żyją. Ludzie żyjący pełnią, obserwują przydarzającą się śmierć: ciało umiera, umysł umiera, ale oni – nie. Oni z tego wychodzą, są transcendentalni.

> **Przeżywaj każdy moment w pełni. I żyj uważnie, tak by nie ciągnąć za sobą przeszłości.**

Dlatego właśnie armia twardogłowych zwykle przegrywa bitwę.

Lao Cy zdaje się mówić absurdy. Mówi, że armia, która ma twarde głowy, przegra, a ty przecież wiesz, że aby wygrać bitwę, trzeba mieć twardą głowę.

Drzewo, ponieważ jest twarde, zostanie ścięte. To, co ogromne i mocne leży nisko w dole; delikatne i słabe leży na samej górze.

Korzenie są twarde, ich miejsce jest w ziemi. Kwiaty są miękkie, ich miejsce jest nad ziemią. I to jest prawidłowa struktura społeczna: ludzie mocni są jak korzenie i ich miejsce jest na dole, zaś miejsce ludzi delikatnych jest na samej górze. Święci i mędrcy zajmują miejsce na najwyższym szczycie. Żołnierze, politycy, biznesmeni powinni zostać na dole; nie powinni wchodzić na szczyt. Świat dlatego przewraca się do góry nogami, że ludzie twardzi usiłują wdrapać się na górę.

To tak, jakby korzenie stały się politykami, wspięły się po drzewie i usiłowały zmusić kwiaty do zajęcia ich miejsca, do zejścia pod ziemię. Kiedy świat miał więcej równowagi, tak jak na przykład w Indiach, miejsce braminów było na samej górze. To my ich tam umieściliśmy. Bramini to mędrcy, to ci, którzy znają Brahmę. To nie jest kasta; nie ma żadnego związku z urodzeniem, ale z osiągnięciem wewnętrznego zmartwychwstania. Bramini to ci, którzy poznali Najwyższe. Ich miejsce jest na samej górze, oni są kwiatami. Nawet królowie, potężni i silni monarchowie, padali im do stóp. I to było prawidłowe. Król, jak silny i wspaniały by nie był, pozostaje tylko królem. Zwykły człowiek pozostaje neurotyczny, goni za ambicją i ego; to on musi się kłaniać.

Zdarzyło się, że Budda zbliżał się do pewnego miasta, a jego król wahał się, czy wyjść mu na powitanie. Premier powiedział królowi: „Musisz wyjść". Premier był starym, mądrym człowiekiem. Król jednak odparł: „To nie wydaje mi się konieczne. To tylko żebrak. Niech on przyjdzie do mnie. Z jakiego powodu miałbym iść do granicy mego królestwa, by go powitać? To ja jestem królem, a on tylko żebrakiem". Premier natychmiast złożył rezygnację. Powiedział: „Przyjmij moją rezygnację, bo skoro tak nisko upadłeś, ja nie mogę tu pozostać. Musisz pamiętać, że ty jesteś królem, a on odrzucił królestwo. Nie ma niczego. Ty masz wspaniałe imperium, a on nie ma nic. Jego miejsce jest na samej górze. A ty musisz iść i pokłonić mu się albo przyjmij moją rezygnację. Nie mogę zostać w pałacu z kimś takim jak ty. Dla mnie to niemożliwe". I król musiał pójść. Kiedy się pokłonił, Budda podobno powiedział: „Nie było takiej potrzeby. Słyszałem, że miałeś wiele oporów przed wyjściem na moje powitanie. Niepotrzebnie wyszedłeś, bo jeżeli ktoś robi coś pod presją, nawet jeśli to zrobi, nie zrobił tego naprawdę. Szacunku nie można wymusić. Albo rozumiesz, albo nie rozumiesz. Nie potrzebowałeś tu przychodzić, szedłem do ciebie z wizytą. A przecież jestem żebrakiem, a ty – królem". Usłyszawszy to, król zaczął płakać. Zrozumiał.

Na Wschodzie bramini zajmowali miejsce na samej górze. Taka powinna być właściwa struktura społeczeństwa. Obecnie, na całym świecie, politycy wdrapali się na górę. Stąd nędza i chaos; nie może być inaczej. Góra stała się za ciężka. To miejsce dla kwiatów: mędrców, poetów, mistyków. Nie dla polityków.

To, co ogromne i mocne, leży nisko w dole; delikatne i słabe leży na samej górze.

Lao Cy mówi, że jeśli chcesz, by twoje miejsce było na górze, bądź delikatny i słaby. Bądź tak delikatny, tak miękki jak trawa; nie bądź mocny jak wielkie drzewo.

Lao Cy jest głęboko zainteresowany wszystkim tym, co jest bezużyteczne. Mówi, że bycie bezużytecznym chroni cię. Bycie potrzebnym jest niebezpieczne, bo jeśli można z ciebie zrobić jakiś użytek, ktoś na pewno cię wykorzysta. Jeśli jesteś silny, wcielą cię do wojska.

> **Bycie potrzebnym jest niebezpieczne, bo jeśli można z ciebie zrobić jakiś użytek, ktoś na pewno cię wykorzysta.**

Lao Cy ze swoimi uczniami przechodził przez wioskę. Zobaczył po drodze garbatego człowieka. Powiedział do uczniów: „Podejdźcie do niego i zapytajcie, jak się czuje. Słyszałem bowiem, że tutejsi ludzie mieli kłopoty. Król zabrał wszystkich młodych mężczyzn do wojska". Podeszli więc do garbatego i zadali mu to pytanie. On odrzekł: „Jestem szczęśliwy. Nie zabrali mnie z powodu garbu. Jestem bezużyteczny. To mnie uratowało". Uczniowie przekazali to swojemu Mistrzowi, na co ten powiedział: „Pamiętajcie więc, by być bezużytecznymi. Jeśli nie, staniecie się pożywką dla wojny".

Przechodząc przez las, stanęli pod drzewem tak ogromnym, że w jego cieniu stało tysiąc wozów zaprzężonych w woły. Trwała wycinka lasu, pracowały tam tysiące rębaczy. Lao Cy poprosił uczniów: „Zapytajcie, dlaczego to wielkie drzewo nie zostało ścięte". Uczniowie uczynili to, o co poprosił. Jeden z rębaczy powiedział im: „To drzewo do niczego nam by się nie przydało. Jego konary są krzywe, nie można z nich zrobić mebli. Kiedy je palić, wydziela tyle dymu, że nie nadaje się nawet na podpałkę. Jego liście są takie gorzkie, że nawet zwierzęta ich nie jedzą. Jest zupełnie bezużyteczne. Dlatego go nie ścinaliśmy".

Lao Cy zaczął się śmiać i powiedział uczniom: „Bądźcie jak to drzewo – bezużyteczni. Wtedy nikt was nie zetnie. I popatrzcie na nie – jakie wielkie się stało po prostu dzięki temu, że jest bezużyteczne!".

Można mieć dwojakie podejście do życia. Możesz kierować się użytecznością: jedna rzecz służy drugiej, życie staje się jak przekaźnik, musi być osiągnięty jakiś końcowy cel. Możesz jednak także kierować się radością; życie ma być radosne, nie użyteczne. Obecna chwila jest wszystkim. Nie ma dążeń, nie ma celów.

Kilka dni temu czytałem wiersz. Jedna z linijek zapadła mi głęboko w pamięć. Brzmi ona: „Wiersz ma być, a nie znaczyć". Zachwyciło mnie to. Życie nie powinno znaczyć, życie powinno być! Cel sam w sobie, żadnego dążenia, radość, świętowanie – tylko tu i teraz. Wtedy zachowasz miękkość. Próbując być do czegoś przydatnym, stwardniejesz. Próbując coś osiągnąć, stwardniejesz. Próbując o coś walczyć, stwardniejesz. Poddaj się. Bądź miękki i czuły. I pozwól, by nurt życia zabrał cię tam, dokąd płynie. Niech cel wszystkiego, co istnieje, będzie także twoim celem. Nie szukaj prywatnych celów. Bądź po prostu cząsteczką, a doświadczysz nieskończonego piękna i czaru.

Poczuj to, o czym mówię. To nie jest kwestia zrozumienia czy możliwości intelektualnych. Poczuj to, o czym ci mówię.

146

Delektuj się tym, co mówię. Pozwól, by to było blisko ciebie. Niech się w tobie umocni: Życie nie powinno znaczyć, życie powinno być. I wtedy nagle stajesz się czuły. Cała twardość odchodzi, roztapia się, znika. Odnalazłeś w sobie dziecko, znów nim się stałeś, te przejrzyste oczy dzieciństwa znów widzą. Patrzysz, a zieleń dokoła jest zupełnie inna. Ptasie piosenki są całkiem inne. Pełnia nabiera innego rodzaju ważności. Nie ma znaczenia, nabiera ważności. Znaczenie byłoby czymś, czego można użyć, ważność wiąże się z przyjemnością.

Rozsmakuj się w tym, a pozostaniesz miękki. Płyń z nurtem rzeki. Stań się rzeką.

Bądź samolubny

Jedynie hipokryci twierdzą, że nie są samolubni.

Słowo samolubny kojarzy się z czymś złym, ponieważ zostało ono potępione przez wszystkie religie. Chcą one, żebyś nie był samolubny. Dlaczego? Bo masz pomagać innym...

Przypomniała mi się historyjka:

Małe dziecko rozmawiało ze swoją matką. Matka pouczała: „Zawsze pamiętaj o tym, aby pomagać innym". Dziecko zapytało: „Ale co ci inni będą w tym czasie robić?". Matka odpowiedziała: „Będą pomagać innym". Dziecko na to: „To bardzo dziwne. Dlaczego zamiast każdy pomagać każdemu, nie zajmiemy się po prostu sobą?".

Egoizm jest rzeczą naturalną. Ale przychodzi moment, gdy poprzez bycie samolubnym zaczynasz dzielić się z innymi. Robisz to, gdy przepełnia cię radość. Obecnie nieszczęśliwi ludzie pomagają innym nieszczęśliwym ludziom, ślepi prowadzą innych ślepych. Jak możecie sobie pomóc? To bardzo niebezpieczny pomysł, który przetrwał w nas przez wieki.

> **Nieszczęśliwi ludzie pomagają innym nieszczęśliwym ludziom, ślepi prowadzą innych ślepych. Jak możecie sobie pomóc?**

W pewnej szkole nauczycielka powiedziała do uczniów: „Przynajmniej raz w tygodniu powinniście zrobić jakiś dobry uczynek". Jeden z chłopców poprosił: „Proszę nam podać przykłady dobrych uczynków. Nie wiemy, co jest dobre". Więc nauczycielka odpowiedziała: „Na przykład, gdy niewidoma kobieta chce przejść przez jezdnię, pomóżcie jej. Będzie to dobrym uczynkiem, będzie to szlachetne".

W następnym tygodniu zapytała: „Czy ktoś z was zrobił to, o co prosiłam tydzień temu?". Tylko trzech uczniów podniosło ręce. Nauczycielka na to: „No cóż – prawie nikt nic nie zrobił. Ale i tak dobrze, że chociaż trzech z was komuś pomogło". Zapytała pierwszego ucznia: „Co zrobiłeś?". Chłopak odpowiedział: „Dokładnie to, co pani powiedziała: Pomogłem przejść przez ulicę pewnej starej, niewidomej kobiecie".

Nauczycielka odpowiedziała: „To bardzo dobrze. Bóg cię za to pobłogosławi". Zapytała drugiego ucznia: „A ty co zrobiłeś?". Chłopak odpowiedział: „To samo – pomogłem starej, niewidomej kobiecie przejść przez ulicę". Nauczycielka była trochę zaskoczona. Skąd oni wynajdują te stare, niewidome kobiety? Ale mieszkali w dużym mieście; znalezienie dwóch było więc całkiem prawdopodobne. Trzeci chłopiec, zapytany o to samo, odpowiedział: „Także pomogłem starej, niewidomej kobiecie przejść przez ulicę".

Nauczycielka zapytała: „Ale gdzie znaleźliście aż trzy niewidome kobiety?". Oni odpowiedzieli: „Pani nie rozumie – nie było trzech niewidomych kobiet, była tylko jedna. I było bardzo trudno pomóc jej przejść na drugą stronę ulicy! Biła nas, krzyczała i wcale nie chciała przechodzić. Ale my chcieliśmy zrobić coś dobrego. Wokół zebrał się tłum, zaczęli na nas krzyczeć. Musieliśmy się tłumaczyć, że chcemy tylko przeprowadzić ją na drugą stronę".

Ludziom mówi się, aby pomagali, pomimo iż są w środku puści. Mówi im się, aby kochali innych: sąsiadów, wrogów. Nigdy nie prosi się, aby kochali samych siebie. Wszystkie religie, bezpośrednio bądź pośrednio, mówią, aby ludzie nienawidzili samych siebie. Człowiek, który siebie nienawidzi, nie może kochać innych; może jedynie udawać.

> **Nie jestem przeciwnikiem dzielenia się, ale jestem całkowicie przeciwny byciu altruistą. Popieram dzielenie się, ale aby móc to robić, trzeba najpierw mieć się czym dzielić.**

Najważniejsze jest kochać siebie tak bardzo, aby miłość przelała się z ciebie i dosięgła innych. Nie jestem przeciwnikiem dzielenia się, ale jestem całkowicie przeciwny byciu altruistą. Popieram dzielenie się, ale aby móc to robić, trzeba najpierw mieć się czym dzielić. Wtedy to, co robisz, nie wynika z obowiązku wobec nikogo – wręcz przeciwnie, druga osoba, przyjmując twoją pomoc, wyświadcza ci przysługę. Powinieneś być wdzięczny, ponieważ mogła ją odrzucić; druga osoba była w stosunku do ciebie bardzo wspaniałomyślna.

Podkreślam to, że każdy może być tak bardzo szczęśliwy, odczuwać tak wielką błogość i spokój, że ten stan całkowitego wypełnienia spowoduje w nim chęć podzielenia się. Człowiek tak wiele posiada, że jest niczym deszczowa chmura – deszcz musi z niej spaść. To, że zaspokoi pragnienia drugiej osoby, zaspokoi pragnienia ziemi, dzieje się niejako przy okazji. Jeśli człowieka przepełnia radość, światło, spokój, zacznie on dzielić się z innymi dla samej przyjemności dzielenia się. Dawanie tego, co ma innym, będzie dużo przyjemniejsze niż otrzymywanie.

Ale do tego trzeba zmienić całą strukturę. Ludzi nie powinno się nakłaniać do bycia altruistami. Sami są nieszczęśliwi – co mogą zrobić dla innych? Są ślepi – jak mogą wskazać drogę? Zmarnowali swoje własne życie – co mogą ci doradzić? Mogą dawać tylko to, co sami mają. Więc z każdym, kto się do nich zbliży, dzielą się smutkiem, cierpieniem, nieszczęściem, złością. To ma być altruizm? Nie, wolałbym, aby raczej wszyscy byli samolubni.

Każde drzewo jest samolubne: wciąga wodę do własnych korzeni, sok do własnych gałęzi, do liści, owoców i kwiatów. Ale gdy kwitnie, obdziela zapachem wszystkich dookoła – tych których zna, których nie zna, znajomych i całkiem obcych. Gdy ugina się od owoców, dzieli się nimi, oddaje je. Ale gdybyś uczył drzewa, aby były altruistami, umarłyby, byłyby martwe tak jak całe społeczeństwo – chodzące zwłoki. Zmierzające dokąd? Na cmentarz, aby na nim odpocząć.

Życie powinno być jak taniec. I może takie być. Powinno być jak muzyka – dopiero wtedy możesz się nim dzielić; wtedy będziesz czuł potrzebę, aby się nim dzielić. Nie muszę tego mówić, ponieważ jest to podstawowym prawem egzystencji. Im bardziej dzielisz się swoim szczęściem, tym więcej go masz.

Toteż uczę, jak być samolubnym…

Technika medytacji

(Ta i wiele podobnych metod zostało opisanych w książce Osho *Wielka Księga Sekretów*, Wyd. Czarna Owca 2011).

Odczuwaj świadomość każdej osoby tak, jakby to była twoja własna. Odłożywszy na bok obawy o swoje „ja" stań się każdą istotą.

Odczuwaj świadomość każdego człowieka, jakby to była twoja świadomość; tak jest w rzeczywistości, chociaż wcześniej tego nie wiedziałeś. Odbierałeś swoją świadomość jako coś własnego, a w świadomość innych nigdy się nie wczuwałeś. Co najwyżej przyznawałeś, że inni też mają świadomość. Wyciągnąłeś taki wniosek, bo przecież inne istoty, podobne do ciebie, powinny tak jak ty posiadać świadomość. To rozumowanie logiczne; nie wyczuwasz świadomości innych. To tak samo jak z bólem głowy: masz jego świadomość. Jeżeli ktoś inny skarży się na ból głowy, umiesz to sobie wyobrazić, ale przecież nie czujesz bólu. Wnioskujesz, że to, o czym mówi, jest prawdą i zapewne przypomina twój ból głowy. Ale sam go w nim nie wyczuwasz.

Zdolność wyczuwania pojawi się dopiero, kiedy uświadomisz sobie świadomość innych. Bez tego zawsze będziesz po prostu wyciągał logiczne wnioski. Wierzysz, jesteś przekonany, że inni mówią coś zgodnie z prawdą, a cokolwiek ci mówią, jest dla ciebie wiarygodne, bo sam także znasz to z autopsji.

Jedna ze szkół logiki głosi taką naukę: nie można dowiedzieć się niczego o innych, to niemożliwe. Co najwyżej można wyciągać pewne wnioski, ale niczego nie można być pewnym. Skąd mógłbyś wiedzieć, że inni na pewno odczuwają ból tak jak ty, że także mają stany lękowe? Żyją obok ciebie, ale nie możesz ich zgłębić, dotykasz jedynie ich powierzchni. Ich wewnętrzna istota pozostaje nieznana. Jesteśmy zamknięci w sobie.

Cały świat wokół nas jest światem wywnioskowanym logicznie, racjonalnie, a nie światem wyczuwanym. Umysł mówi, że tak jest, ale to nie porusza naszego serca. To dlatego zachowujemy się w stosunku do innych tak, jakby byli oni przedmiotami, nie ludźmi. Nasze związki polegają na tym samym. Mąż zachowuje się wobec żony tak, jakby była ona przedmiotem: posiada ją. Żona będąca w posiadaniu męża jest jak przedmiot. Gdybyśmy traktowali innych jak osoby, to nie próbowalibyśmy ich zawłaszczyć, bo posiadać można tylko rzeczy.

> **Nie można być właścicielem drugiej osoby. Twoje próby zawłaszczenia zabijają ją, sprowadzają do rangi przedmiotu.**

Osoba kojarzy się z wolnością. Nie można być właścicielem drugiej osoby. Twoje próby zawłaszczenia zabijają ją, sprowadzają do rangi przedmiotu. Nasze związki z innymi to nie pozostawanie w relacji „ja – ty" lecz w relacji „ja – to". Partner staje się obiektem naszych manipulacji, używamy go, wykorzystujemy. Z tego właśnie powodu miłość przydarza się coraz rzadziej, gdyż oznacza ona traktowanie partnera jak człowieka, jak świadomej istoty, jak kogoś równie wartościowego.

Jeżeli zachowujesz się tak, jakby otaczały cię tylko przedmioty, stajesz się punktem centralnym, dysponującym nimi. Związek ma charakter użytkowy. Rzeczy same w sobie nie mają wartości; ich wartość polega na tym, że ty możesz z nich korzystać; istnieją dla ciebie. Możesz być związany ze swoim domem – on istnieje dla ciebie. Jest użyteczny. Samochód jest dla ciebie, ale żona – nie, mąż – nie. Mąż istnieje dla siebie i żona istnieje dla siebie. Każdy człowiek istnieje dla samego siebie, takie właśnie znaczenie ma bycie osobą. I jeżeli pozwolisz osobie pozostać nią, zaczniesz ją powoli wyczuwać. Jeśli to nie nastąpi, nie będziesz w stanie współodczuwać. Twój związek pozostanie teoretyczny, intelektualny; umysł z umysłem, głowa z głową, ale nie serce z sercem.

Ta technika mówi: odczuwaj świadomość każdej osoby tak, jakby to była twoja własna.

To będzie trudne, bo najpierw musisz poczuć, że osoba jest osobą, jest świadomą istotą. A już samo to jest trudne.

Jezus mówi: „Kochaj bliźniego swego jak siebie samego". O to właśnie chodzi. Tylko że ten bliźni musi najpierw stać się dla ciebie osobą, istnieć według własnych zasad, nie być wykorzystywany, manipulowany, używany, nie być środkiem do osiągania twoich celów, ale być celem samym w sobie. Najpierw więc partner musi być osobą, musi być „ty", które ma dla ciebie tak wielką wartość jak „ja". Odczuwaj świadomość każdej osoby tak, jakby to była twoja własna.

Poczuj, że druga osoba jest świadoma, a wtedy to się uda – poczujesz, że jej świadomość jest taka jak twoja. Tak naprawdę, ta osoba zniknie, a to, co zostanie, będzie świadomością przepływającą między tobą a nią. Staniecie się dwoma biegunami tej samej świadomości, tego samego nurtu.

W głębokiej miłości obie osoby wcale nie są względem siebie rozdzielne. Powstało między nimi coś, co uczyniło z nich dwa bieguny. Coś przepływa między nimi, a kiedy płynie, czują błogość. Jeśli miłość daje poczucie błogości, to właśnie z tego powodu: dwie osoby przez chwilę gubią gdzieś swoje ego, gubią znaczenie słów „ten inny" i wkraczają w poczucie jedności. Jeżeli to się przydarzy, jest jak ekstaza, jest cudowne, ma smak raju. Krótka chwila, która zmienia wszystko.

Ta technika mówi, że możesz to osiągnąć z każdym człowiekiem. W miłości robisz to z jedną osobą, lecz w medytacji możesz to poczuć z każdym. Bez względu na to, kto się do ciebie zbliża, po prostu roztop się w nim i poczuj, że nie jesteście dwoma osobnymi istnieniami, ale jednym, przepływającym. To po prostu zmiana gestaltu, stanu. Kiedy już wiesz jak, kiedy zrobisz to choć raz, stanie się to dla ciebie łatwe. Na początku wydaje się to bardzo trudne, bo jesteśmy przywiązani do swoich ego. Trudno się ich pozbyć, trudno stać się płynnym. Byłoby dobrze, gdybyś na początek spróbował z czymś, co nie budzi twojego lęku, czego się nie boisz.

Nie boisz się drzewa, będzie ci z nim łatwiej. Siedząc blisko, poczuj drzewo, poczuj jak sam stajesz się drzewem, że jesteście tym samym, że jest przepływ, połączenie, dialog, stapianie się. Siedząc nieopodal rzeki, po prostu poczuj jej przepływ, poczuj, że ty i rzeka staliście się jednym. Patrząc w niebo, poczuj, że stanowicie jedność. Na początku doświadczysz tego głównie w swojej wyobraźni, ale z czasem wyobraźnia pomoże ci dotknąć rzeczywistości.

> **Ty próbujesz zamieniać innych w przedmioty, inni próbują zamienić ciebie – a przecież nikt nie chce być rzeczą, drogą do celu, nikt nie chce być wykorzystywany.**

Następnie spróbuj tego z ludźmi. Może się to okazać trudne, bo towarzyszy ci strach. Sprowadzałeś ludzi do rangi przedmiotów, boisz się, że ktoś bliski także przypisze ci taką rolę. Z tego wypływa twój strach. Dlatego nikt nie pozwala sobie na zbytnią bliskość: zachowujesz i strzeżesz swojego dystansu do innych. Zbytnia bliskość jest niebezpieczna, bo druga osoba mogłaby zamienić ciebie w rzecz, mogłaby cię posiąść. Tego się boisz. Ty próbujesz zamieniać innych w przedmioty, inni próbują zamienić ciebie – a przecież nikt nie chce być rzeczą, drogą do celu, nikt nie chce być wykorzystywany. To właśnie jest najbardziej obraźliwe – służyć komuś za środek do osiągnięcia celu, nie być cenionym za to, kim się jest. Każdy tego próbuje. Z tego powodu narósł ogromny strach i będzie trudno zacząć stosować tę technikę od razu na ludziach.

Zacznij ćwiczyć z rzeką, ze wzgórzem, z gwiazdami, z niebem, z drzewami. Kiedy poczujesz, o co w tym chodzi, kiedy staniesz się jednością z drzewem, kiedy doznasz tej błogości, jaką daje stopienie się z rzeką, kiedy, nie tracąc niczego, pozyskujesz całe Istnienie, wtedy możesz spróbować z innymi ludźmi. A ponieważ było to tak kojące w przypadku drzewa i rzeki, możesz sobie wyobrazić, jak wspaniałe będzie z człowiekiem; jest on przecież doskonalszy, bardziej złożony. Z człowiekiem możesz osiągnąć wyższe poziomy. Doznając ekstazy w kontakcie ze skałą, jakże ogromnej ekstazy doznasz, współodczuwając z drugim człowiekiem.

Zacznij jednak od czegoś, co nie budzi twojego strachu. Albo od osoby, którą kochasz, przyjaciela, kochanka, kogoś, kogo się nie boisz, z kim bez obaw możesz być blisko, intymnie, z kim możesz zagubić siebie, nie bojąc się, że zostaniesz zamieniony w przedmiot. Jeśli znasz kogoś takiego – spróbuj tej techniki. Zatrać się w nim świadomie. Kiedy to zrobisz, twój partner także to zrobi; a gdy oboje jesteście otwarci i przepływacie w siebie nawzajem, jest to najwspanialsze spotkanie, najgłębsza komunia. Stapiają się ze sobą dwie energie. W takim stanie nie ma ego. Nie ma indywidualności, jest czysta świadomość. A jeśli było to możliwe z jednym człowiekiem, będzie także możliwe z całym wszechświatem.

Odczuwaj świadomość każdej osoby tak, jakby była twoją własną. Odłożywszy na bok obawy o swoje „ja", stań się każdą istotą. Stań się drzewem, stań się rzeką, stań się żoną, mężem, dzieckiem, matką, przyjacielem – można to robić w każdej chwili. Na początku będzie to bardzo trudne. Dlatego ćwicz co najmniej przez godzinę dziennie. W tym czasie wczuwaj się we wszystko, co pojawia się w pobliżu ciebie. Masz wątpliwości, czy coś się w ogóle wydarzy, ale nie dowiesz się, dopóki nie spróbujesz.

Siedź obok drzewa i czuj, jak stajesz się drzewem. Kiedy zawieje wiatr i drzewo porusza się wraz z nim, czuj w sobie jego drżenie i dygotanie; kiedy wzejdzie słońce i drzewo się obudzi, poczuj to przebudzenie w sobie; kiedy spadnie deszcz i drzewo jest nasycone i zadowolone, jego pragnienie, długie oczekiwanie się skończyło, poczuj to zadowolenie tak jak drzewo. Dzięki temu poznasz delikatne nastroje, niuanse bycia drzewem.

Widziałeś to drzewo wielokrotnie, ale nie znasz jego nastrojów. Czasem jest ono szczęśliwe, czasem – nie. Bywa smutne, zmartwione, zdenerwowane, a czasem czuje się błogo i ekstatycznie. Miewa różne nastroje, jest przecież żywe i może odczuwać. Stając się z nim jednością, także to poczujesz. Będziesz wiedział, czy drzewo jest stare, czy młode, czy jest zadowolone ze swego życia, czy kocha Istnienie, czy może całym sobą mu się sprzeciwia, jest rozzłoszczone, wrogie, czy ma w sobie wiele współczucia. Tak jak ty zmieniasz się z każdą chwilą, zmienia się i drzewo. Możesz poczuć głębokie podobieństwo do niego, możesz poczuć empatię.

Empatia oznacza, że jesteś tak głęboko współodczuwający, iż stałeś się jednością z czymś lub kimś. Nastroje drzewa stały się twoimi. A to prowadzi jeszcze głębiej, gdyż z drzewem możesz rozmawiać. Znając jego nastroje, zaczynasz rozumieć jego język, wtedy drzewo podzieli się z tobą swymi myślami. Podzieli się z tobą swoją ekstazą i agonią.

Możesz to ćwiczyć ze wszystkim, co znajduje się we wszechświecie.

Bądź chociaż przez godzinę dziennie w stanie empatii w stosunku do czegoś. Na początku będzie ci głupio przed samym sobą. Pomyślisz: „Co za bzdurne rzeczy wyprawiam". Popatrzysz wokół i dotrze do ciebie, że jeżeli ktoś by się o tym dowiedział, ktoś by cię podglądał, to pomyśli, że zwariowałeś. Ale to inni są stratni. Życie obdarza takim dostatkiem wszystkich, a oni to przegapiają. Tracą, bo są zamknięci. Nie pozwalają, by życie w nich zamieszkało. A życie może do ciebie przeniknąć, jeśli ty także wychodzisz mu naprzeciw poprzez wiele wymiarów, wiele dróg. Odczuwaj empatię choćby przez jedną godzinę dziennie.

> **Nasze modlitwy uległy spłyceniu, nie wiemy, jak komunikować się z kimkolwiek lub czymkolwiek.**

W początkach każdej religii takie właśnie było zadanie modlitwy: pozostać w jedności ze światem, zachować głębokie porozumienie z kosmosem. Modląc się, zwracasz się do Boga – Bóg oznacza wszystko. Czasem możesz być zły na Boga, czasem Mu wdzięczny, ale jedno jest pewne – masz z nim kontakt. Bóg nie jest wytworem umysłu, jest głębokim, intymnym związkiem. Taki sens ma modlitwa.

Nasze modlitwy uległy spłyceniu, nie wiemy, jak komunikować się z kimkolwiek lub czymkolwiek. Jeśli nie potrafisz komunikować się z żadną istotą, nie będziesz mógł także porozumieć się z Istotą – przez duże I; to niemożliwe. Jeśli nie potrafisz komunikować się z drzewem, to co dopiero mówić o całej egzystencji? Czując się głupio, kiedy mówisz do drzewa, tym bardziej głupio byś się czuł, rozmawiając z Bogiem.

Zarezerwuj sobie godzinę dziennie na stan umysłu podobny do modlitwy. Nie próbuj tego werbalizować. Niech to będzie odczuwanie. Zamiast przemawiać do głowy, raczej poczuj. Podejdź do drzewa, pocałuj je, zamknij oczy i poczuj się z drzewem tak, jak czujesz się z ukochanym. Czuj. Wkrótce osiągniesz głębokie zrozumienie tego, co oznacza odstawienie siebie na bok, co oznacza wczucie się w kogoś innego.

> Odczuwaj świadomość każdej osoby tak, jakby to była twoja własna. Odłożywszy na bok obawy o swoje „ja", stań się każdą istotą.

5. PO DRODZE
KU BLISKOŚCI

Odpowiedzi na pytania

Ludzie zadają pytania po to, by mieć poczucie własnej mądrości. Chcą postawić pytanie, nie po to, by uzyskać odpowiedź, lecz by wykazać się swoją wiedzą. Ale ja jestem przekorny: nigdy nie odpowiadam na takie pytania, w których popisujecie się swoją wiedzą. Po prostu je ignoruję. Odpowiadam na pytania, w których otwieracie przede mną swoje rany, bo jeśli je otworzyć, istnieje możliwość wyleczenia. Kiedy się otwierasz, stajesz na drodze ku przemianie. Dopóki nie obnażysz swojej prawdziwej twarzy, nie będą możliwe żadne zmiany w twoim życiu, żadne przemiany w twojej świadomości.

Dlaczego atrakcyjnie wyglądający ludzie wydają mi się niebezpieczni?

Ludzie atrakcyjni, piękni fizycznie budzą lęk z wielu powodów. Po pierwsze – im bardziej ktoś wydaje ci się atrakcyjny, tym większe prawdopodobieństwo, że pozwolisz mu się zniewolić – na tym polega twój strach. Urok, magnetyzm, czar – ulegniesz temu, staniesz się niewolnikiem.

Ludzie atrakcyjni przyciągają, a jednocześnie budzą lęk. Są piękni, pragniesz być blisko, ale zbliżyć się do nich to znaczy utracić wolność. Nawiązać z nimi bliskie stosunki oznacza zrezygnować z bycia sobą. Ale ponieważ są tak atrakcyjni, nie będziesz w stanie odejść, przylgniesz do nich. Wiesz, że im bardziej ktoś wydaje ci się atrakcyjny, tym silniej się go uchwycisz; popadniesz w coraz większą zależność. Na tym polega twój strach.

Nikt nie chce stać się zależnym. Wolność jest najwyższą wartością. Nawet miłość nie jest tak ważna jak wolność. Wolność stoi najwyżej, zaraz po niej miłość. I pozostają one w ciągłym konflikcie. Miłość chce być najważniejsza; ale nie jest. Próbuje więc zniszczyć wolność; wtedy wedrze się na jej miejsce. A ci, którzy kochają swoją wolność, zaczną obawiać się miłości.

Miłość oznacza oczarowanie kimś atrakcyjnym. Im ta osoba jest piękniejsza, tym bardziej cię pociąga, budząc jednocześnie coraz większy lęk, że wchodzisz w coś, z czego się tak łatwo nie wywiniesz. Możesz z łatwością odejść od kogoś zwykłego, skromnego. A jeśli twój partner jest po prostu brzydki – masz pełną wolność; nie musisz się uzależniać.

Mułła Nasreddin ożenił się z najbrzydszą kobietą w mieście. Wszyscy bardzo się dziwili. Pytali: „Nasreddin, co ci się stało?". On zaś wyjaśnił: „Jest w tym wiele logiki. To jedyna kobieta, od której mogę odejść w każdej chwili. Prawdę mówiąc, trudno będzie przy niej pozostać. To jedyna kobieta w mieście, której mogę ufać. Piękni nie są godni zaufania. Łatwo się zakochują, bo pragnie ich wielu ludzi. Tej kobiecie mogę zaufać;

będzie ze mną zawsze szczera. Nie muszę się o nią martwić. Mogę wyjechać na całe miesiące i nie będę się obawiał – moja kobieta pozostanie moją".

Zwróć uwagę: jeśli ktoś jest brzydki, łatwo możesz go posiąść. Człowiek brzydki będzie od ciebie zależny. Piękny – uzależni ciebie. Piękno jest potęgą, ma wielką moc.

Brzydki stanie się niewolnikiem, sługą. Będzie nadrabiać w każdy możliwy sposób za brak piękna. Brzydka kobieta będzie lepszą żoną niż piękna kobieta – będzie musiała. Będzie bardziej o ciebie dbać, będzie cię pielęgnować; wie, że z braku urody musi nadrabiać czymś innym. Będzie dla ciebie dobra, nie będzie zrzędzić, nie będzie z tobą walczyć, nie będzie się wiecznie z tobą kłócić – ona nie może sobie na to pozwolić.

Piękni są niebezpieczni. Mogą sobie pozwolić na walkę. Takie są właśnie powody. Pytasz: „Dlaczego atrakcyjnie wyglądający ludzie wydają mi się niebezpieczni?". Oni są niebezpieczni. Dopóki tego nie pojmiesz i nie uświadomisz sobie – lęk pozostanie. Atrakcyjność i lęk są dwoma aspektami tego samego zjawiska. Zawsze przyciąga cię tylko taka osoba, która jednocześnie budzi twój lęk. Ten lęk oznacza, że zawsze będziesz na drugim miejscu.

Prawdę mówiąc, ludzie chcą tego, co niemożliwe. Kobieta pragnie mężczyzny najpiękniejszego, posiadającego największą władzę na świecie – ale jednocześnie chce, by on interesował się wyłącznie nią. Przecież to niemożliwe. Człowiek najpiękniejszy i najpotężniejszy jest skazany na zainteresowanie wieloma osobami. I wiele osób będzie zainteresowanych nim. Taki mężczyzna chciałby mieć najpiękniejszą na świecie kobietę, która jednocześnie pozostałaby mu wierną i oddaną. Ale to będzie trudne; to prośba o coś, co jest przecież niewykonalne.

I pamiętaj: jeśli jakaś kobieta wydaje ci się bardzo piękna, to po prostu oznacza, że ty jesteś nie dość piękny. I też się boisz – jeśli kobieta jest w twoim odczuciu tak piękna, co ona sobie o tobie pomyśli? Nie wydajesz jej się piękny. Narasta strach – przecież może cię zostawić. Pojawiają się problemy. A pojawiają się tylko dlatego, że twoja miłość nie jest tak naprawdę miłością, tylko grą. Miłość nigdy nie myśli o przyszłości. Toteż nie ma problemu z przyszłością. Dla prawdziwej miłości dzień jutrzejszy nie istnieje, nie istnieje dla niej czas.

Jeśli kochasz kogoś, to go po prostu kochasz. Kogo obchodzi to, co się zdarzy jutro? Dzień dzisiejszy daje tak wiele, obecna chwila jest wiecznością. Co będzie jutro? Zobaczymy... jutro. A jutro nie nadchodzi nigdy. Prawdziwa miłość istnieje jedynie w teraźniejszości.

Zawsze pamiętaj o tym, że wszystko, co jest prawdziwe, musi być częścią twojej świadomości, częścią chwili obecnej, częścią twojej medytacji. Wtedy nie ma problemu. Nie pojawia się sprawa atrakcyjności, nie pojawia się lęk.

Prawdziwa miłość dzieli się; nie jest po to, by wykorzystywać drugą osobę, nie po to, by ją posiadać. Kiedy chcesz kogoś posiadać, wtedy pojawia się problem: ktoś może posiąść i ciebie. A jeśli będzie to człowiek o większej mocy, bardziej pociągający, w naturalny sposób staniesz się niewolnikiem. Chcąc stać się czymś panem, jednocześnie obawiasz się, że ktoś inny sprowadzi cię do roli niewolnika. Jeśli nie chcesz nikogo posiadać, nigdy nie zaznasz lęku o to, że ktoś posiądzie ciebie. Miłość nigdy nie posiada.

Miłość nigdy nie posiada i nie można jej posiąść. Prawdziwa miłość wiedzie cię ku wolności. Wolność jest najwyższym szczytem, najcenniejszą wartością. A miłość jest jej najbliższa; to następny krok, po miłości. Miłość jest najbliższa wolności;

jest jej progiem. To właśnie podpowie ci twoja świadomość: miłość służy jako próg dla wolności. Jeśli kochasz, czynisz ukochaną osobę wolną. A uwalniając ją, powodujesz, że ona uwalnia ciebie.

Kochać oznacza dzielić się, nie zaś wykorzystywać. Zresztą miłość nie myśli nigdy w kategoriach brzydoty i piękna. Będziesz zdziwiony: dla miłości pojęcia piękna i brzydoty nie istnieją. Miłość jedynie służy, pokazuje, medytuje – nigdy nie myśli. Tak, czasem zdarza się, że do kogoś pasujesz. Nagle wszystko staje się harmonijne. Ale to nie kwestia piękna lub brzydoty; to za sprawą harmonii i rytmu.

Ktoś pytał mnie o to, o czym pisał George Gurdżijew: że każdy mężczyzna ma gdzieś na świecie kobietę, która do niego pasuje; każda kobieta ma takiego, stworzonego dla niej, mężczyznę. Oboje mają w sobie zupełnie przeciwstawne cechy. Jeśli uda ci się znaleźć tego człowieka, wszystko natychmiast ułoży się harmonijnie. Wasze wszystkie ośrodki będą się uzupełniać – to miłość. To nie zdarza się często. Do rzadkości należy dobrana para. Nasze społeczeństwo funkcjonuje poprzez stosowanie tak wielu zakazów, tak wielu hamulców, że odnalezienie twojej drugiej połowy, prawdziwego przyjaciela, staje się prawie niemożliwe.

We Wschodniej mitologii mamy taką opowieść, taki piękny mit, mówiący o tym, że kiedy świat został stworzony, dzieci rodziły się po dwoje – jako para – jeden chłopiec i jedna dziewczynka, razem, z jednej matki. Bliźnięta, perfekcyjnie do siebie dopasowane – jak dobrana para. Byli ze sobą doskonale zestrojeni. Po pewnym czasie człowiek popadł w niełaskę – to coś na wzór grzechu pierworodnego – popadł w niełaskę i w ramach kary od tamtej pory ludzie doskonale do siebie pasujący rodzą się z innych matek. Ale przecież się rodzą! Gurdżijew ma rację – ja też to zauważyłem: każdy człowiek ma gdzieś swojego idealnego partnera. Jednak odnalezienie go jest trudne, bo ty może jesteś biały a ta osoba czarna; może jesteś hinduistą a twoja druga połówka jest muzułmanką; może jesteś Chińczykiem, a ona Niemką?

W lepszym świecie ludzie będą poszukiwać, rozglądać się – i dopóki nie znajdziesz człowieka, do którego pasujesz, pozostaniesz w stanie bólu, napięcia. Będąc samotnym, odczuwasz ból; spotykając osobę, która do ciebie nie pasuje albo pasuje jedynie w niewielkim stopniu, odczuwasz ból. W naszych czasach zostało to nawet udowodnione naukowo – są ludzie do siebie dopasowani i są tacy, którzy zupełnie do siebie nie pasują. Można już dokonywać poszukiwań za pomocą metod naukowych; każdy wyjawi to, co dla niego najważniejsze, wykres urodzin, swój rytm i jest wszelkie prawdopodobieństwo, że odnajdzie osobę, która jest do niego dokładnie dopasowana. Świat stał się bardzo mały, toteż kiedy odnajdziesz swojego idealnego partnera, kwestia piękna i brzydoty w ogóle nie będzie brana pod uwagę.

Tak naprawdę, to nie ma ludzi brzydkich ani ludzi pięknych. Ktoś brzydki może pasować do kogoś innego i w jego oczach staje się piękny. Piękno jest cieniem harmonii. To nie jest tak, że zakochujesz się w kimś pięknym. Jest odwrotnie – kiedy się zakochujesz w kimś, ta osoba wygląda pięknie. To miłość czyni pięknym, nie vice versa.

Jednak do rzadkości należy odnalezienie osoby, która idealnie do ciebie pasuje. Kiedy to szczęście się komuś przydarzy, jego życie pełne jest muzyki; są dwa ciała, ale jedna dusza. Oto prawdziwa para. Jeżeli kiedykolwiek uda ci się spotkać takich ludzi, przekonasz się, że będą pełni wdzięku i wspaniałej muzyki, będą mieli piękną aurę wokół siebie, pełnię światła, spokój. Taka miłość w naturalny sposób prowadzi ku medytacji.

Ludziom powinno być wolno spotykać się, mieszać, aby się odnaleźć. Nie powinni spieszyć się z zawieraniem związków małżeńskich. Pośpiech jest niebezpieczny; jego rezultatem są jedynie rozwody albo wiele lat zmarnowanego życia. Dzieci powinny spotykać się ze sobą, a my powinniśmy odrzucić te przestarzałe tabu, zakazy; one się już zdezaktualizowały.

Żyjemy w epoce rozwiniętej technologii; człowiek stał się dojrzały i powinien zmienić kilka rzeczy, bo są one złe. Zostały wymyślone bardzo dawno temu; w tamtych czasach były potrzebne, dziś już nie są. Na przykład, obecnie kobieta i mężczyzna mogą żyć razem; nie muszą się szybko pobierać. A jedynie poznając wielu mężczyzn lub wiele kobiet, można się dowiedzieć, kto do ciebie pasuje, a kto nie. Nie chodzi tu o długi nos albo piękną twarz; ktoś wyda ci się pociągający, bo ma piękną twarz albo piękne, duże oczy, albo kolor włosów, ale te rzeczy nie mają znaczenia! Kiedy zamieszkacie razem, już po dwóch dniach nie będziesz zwracać uwagi na kolor włosów, po trzech dniach nie będzie miał znaczenia długi nos, a po trzech tygodniach nie będziesz przykładał wagi do wyglądu zewnętrznego partnera. Teraz objawi ci się prawda. A jedyną prawdą okaże się wasza duchowa harmonia.

Aż do naszych czasów, małżeństwo bywało czymś naprawdę okropnym. A kapłani zezwalali na nie z satysfakcją; nie tylko zezwalali, oni wymyślili małżeństwo. I był powód, dla którego kapłani na całym świecie przez pięć tysięcy lat sprzyjali tym okropnym małżeństwom. Otóż tylko wtedy, gdy ludzie czują się nędznie, chodzą do kościoła, do świątyni; jeśli ludzie są nieszczęśliwi, gotowi są odrzucić życie. Mogą dostać się w ręce księży tylko wtedy, kiedy nie mają nadziei. Szczęśliwa ludzkość nie będzie miała nic wspólnego z księżmi. To oczywiste – tak samo, kiedy jesteś zdrowy, nie potrzebujesz chodzić do doktora. Jeśli nie jesteś rozbity psychicznie, nie potrzebujesz pomocy psychoanalityka. Jeśli nie jesteś rozbity duchowo, nie będziesz potrzebował księdza.

To właśnie nieudane małżeństwo jest powodem największego duchowego rozchwiania. Kapłani stworzyli nam piekło na ziemi. To jest sekret handlowy ich firmy – ludzie muszą przyjść i zapytać ich, co mają robić? Życie jest tak nędzne! A oni mogą poradzić, jak się od niego uwolnić. Poradzą, jakie stosować rytuały, by już się nie narodzić, by wydostać się z kręgu narodzin i śmierci. Uczynili życie piekielnym, a teraz powiedzą ci, jak się go pozbyć.

Ja próbuję czegoś odwrotnego: chcę stworzyć niebo na ziemi, tu i teraz, by nie było potrzeby niczego się pozbywać. Nikt nie potrzebuje rezygnować z życia i śmierci, nikt nie potrzebuje starych tak zwanych religii. Potrzeba nam więcej muzyki, więcej poezji, więcej sztuki. Na pewno także więcej mistycyzmu; więcej nauki. Tak narodzi się całkowicie nowy rodzaj religii, inna religia, która nie będzie wprowadzać ideologii przeciwnej życiu, ale pomoże ci żyć w harmonii, z artyzmem, wrażliwie, zgodnie z sobą samym, pozwoli zakorzenić się w ziemi. Taka religia nauczy cię sztuki życia, filozofii życia i świętowania.

Pytasz: „Dlaczego atrakcyjnie wyglądający ludzie wydają mi się niebezpieczni?".

Także z tego powodu, że po cichutku poszukujesz, tak jak każdy inny człowiek, swojego idealnego partnera i nie chciałbyś zaangażować się w kogoś, kto nim nie jest. Tylko, niestety, nie ma innego sposobu, aby znaleźć swoją drugą połówkę, niż angażując się w wiele przyjaźni, wiele romansów. Chcąc odnaleźć tę jedyną osobę, musisz przejść przez wiele miłości. To jedyny sposób. Porzuć lęk…

A jeśli, ze strachu, zaczniesz wchodzić w relacje z brzydkimi ludźmi, nigdy nie będziesz zadowolony.

Cohenowie szukali umeblowanego mieszkania do wynajęcia. Pan Cohen znalazł miejsce, które spełniało jego wymagania, ale pani Cohen sprzeciwiła się:

– Nie podoba mi się to mieszkanie.

– O co ci chodzi, Rachelo? Czyż to nie piękne mieszkanie? Wszak posiada wszelkie najnowsze udogodnienia: umywalki, przyzwoite oświetlenie, dobrą hydraulikę, ciepłą i zimną wodę! Dlaczego nie? – spytał pan Cohen.

– Widzę to wszystko, o czym mówisz, ale w łazience nie ma zasłon. Kiedy będę się kąpać, sąsiedzi mogliby mnie podglądać.

– To prawda, Rachelo. Lecz kiedy sąsiedzi cię zobaczą, to sami kupią zasłony.

Brzydota może być przydatna, ale nie da ci satysfakcji. A jeżeli boisz się pięknych ludzi, pamiętaj, że tak naprawdę obawiasz się zaangażowania w głęboki, intymny związek; wolisz trzymać dystans, chcesz pozostać na dystans, tak byś mógł w razie potrzeby w każdej chwili odejść. Ale to nie jest właściwa droga; w ten sposób nie poznasz tajemnic miłości. Trzeba być całkowicie uległym. Trzeba zrzucić pancerz i przestać się bronić.

Jeśli cię to przeraża, niech przeraża, ale wejdź w to. Strach minie. Jedyną drogą, dzięki której pozbędziesz się lęku przed każdym problemem, jest droga wiodąca przez ten problem. Kiedy przychodzi do mnie ktoś, kto mówi, że boi się ciemności, odpowiadam: Jedyny sposób, to wyjść w ciemną noc, usiąść samotnie, gdzieś poza miastem, pod drzewem. Możesz się trząść! Możesz się pocić, być przerażony, ale siedź tam. Jak długo można się trząść? Powoli wszystko się uspokoi. Serce znów będzie bić normalnie… i nagle okaże się, że noc nie jest taka straszna. Powoli dostrzeżesz piękno ciemności, piękno, które może posiadać jedynie ciemność: głębię, ciszę, aksamitny dotyk, bezruch, muzykę nocy, owady, harmonię. I wraz z ustępowaniem lęku zadziwi cię, że ciemność nie jest wcale aż taka ciemna, że ma swój własny blask. Będziesz nawet w stanie coś dostrzec, coś ledwie dostrzegalnego, niewyraźnego. Jasność spłaszcza rzeczy; mglistość daje im głębię i tajemniczość. Światło nigdy nie będzie tak tajemnicze jak ciemność. Światło jest prozaiczne, ciemność to poezja. Światło jest obnażone; jak długo możesz się nim interesować? Ciemność jest skryta za zasłoną, prowokuje ogromne zainteresowanie, wielką ciekawość, chęć odsłonięcia jej.

Boisz się ciemności? Wejdź w ciemność. Boisz się miłości? Wejdź w miłość. Boisz się samotności? Jedź w Himalaje i pozostań sam. Tylko tak pozbędziesz się lęków. A jeśli czasem uda ci się tego dokonać, rozwinie to twoją świadomość.

Kiedyś przyprowadzono do mnie młodego mężczyznę, nauczyciela akademickiego, którego problemem było to, że poruszał się jak kobieta. Być na uniwersytecie, na dodatek być wykładowcą i chodzić jak kobieta to naprawdę duży kłopot. Bardzo się tego wstydził. Próbował wszystkiego.

– Zrób to dla mnie, pokaż mi, jak chodzi kobieta, bo ja uważam, że to niemożliwe; mężczyzna nie potrafi poruszać się jak kobieta. Robisz coś, co graniczy z cudem! Jeśli chodzisz jak kobieta, to znaczy, że masz macicę; to jej okrągły kształt powoduje, że kobiety chodzą inaczej niż mężczyźni. Inny jest układ ciała. Mężczyzna nie jest w stanie tak się poruszać... ale jeżeli umiałby, to byłby powód do dumy. To byłby cud! Zademonstruj mi to – powiedziałem.

– Jaki cud? – zapytał.

– Po prostu przespaceruj się tu przede mną. Idź kobiecym krokiem – poprosiłem.

Próbował, ale zupełnie mu nie wychodziło. Nie umiał iść jak kobieta.

– W tym właśnie tkwi sedno sprawy – powiedziałem. – Wracaj na uniwersytet. Do tej pory usiłowałeś nie chodzić jak kobieta. Od teraz próbuj chodzić jak kobieta. Celowo. Twój wysiłek, aby nie chodzić jak kobieta, był powodem twojego problemu. Stał się obsesją, byłeś jak zahipnotyzowany. Jedyny sposób, aby to odhipnotyzować, polega na robieniu tego celowo. Wracaj na uniwerek i za wszelką cenę staraj się pokazać, że jesteś kobietą.

Próbował, nie udawało mu się, i nigdy więcej już mu się nie udało.

Jeśli się boisz, jeśli narasta w tobie strach przed atrakcyjnymi ludźmi, zrób to samo; pamiętaj. Jeśli boisz się, by ktoś nie dotknął twojego pępka albo boisz się ciemności, albo boisz się poruszać jak kobieta, albo – może jeszcze tego czy tamtego – nie ma znaczenia. Strach musi zniknąć, bo ma on działanie oszpecające, paraliżujące.

Jedynym zaś sposobem, aby się go pozbyć, jest wejście weń. Doświadczenie tego uwolni cię. Lepiej jest się uczyć. Lepiej porzucić lęki. Lepiej wchodzić w relacje międzyludzkie. A kiedy zaczniesz nawiązywać takie relacje, dostrzeżesz, że każdy człowiek ma w sobie coś pięknego. Nikt nie jest pozbawiony piękna. Może się ono rozmaicie przejawiać: piękna twarz, piękny głos, piękne ciało, piękny umysł. Nikt nie jest pozbawiony piękna – Istnienie daje jakiś jego rodzaj każdemu z nas. Jest tyle rodzajów piękna, ilu jest ludzi. Jedynym sposobem na to, by dotrzeć do piękna, jest przybliżyć się, porzucić wszystkie obawy, odrzucić bariery. I ku twemu zdziwieniu okaże się, że Bóg przejawia się w najróżniejszych formach – Bóg jest pięknem.

Mamy na Wschodzie trzy słowa na określenie Boga: *satyam* – prawda, *shivam* – Bóg Najwyższy, *sundram* – najwyższe piękno. Piękno jest ostatnie – Bóg jest piękny, Bóg to piękno. Każde piękno jest odbiciem piękna Boga. A jeśli boisz się odbicia, jak poradzisz sobie z tym, co rzeczywiste? Odbicie jest po to, byś się nauczył, przygotował do wejścia w relację z rzeczywistym.

Dlaczego jestem taki nieśmiały?

Wolność jest celem życia. Bez niej życie nie ma żadnej wartości. „Wolność" nie ma zabarwienia politycznego ani ekonomicznego. „Wolność" oznacza wolność od czasu, od umysłu, od pożądania. W chwili, kiedy wyłączysz umysł, stajesz się jednością z wszechświatem, stajesz się nieskończony jak wszechświat.

To umysł stanowi barierę między tobą a rzeczywistością; z jego powodu pozostajesz zamknięty w ciemnej komórce, do której nigdy nie zagląda światło, do której nie przenika radość. Twoja Istota pragnie przedostać się do najwyższego źródła egzystencji. Twoja Istota chce być jak ocean, a ty powinieneś stać się jego kroplą. Jak stać się szczęśliwym? Jak doznać ukojenia? Człowiek żyje w rozpaczy, ponieważ jest uwięziony.

Gautama Budda mówi, że *tanha* – pożądanie – jest przyczyną naszego nieszczęścia, ponieważ pożądanie jest wytworem umysłu. Pożądanie oznacza stwarzanie przyszłości, wyobrażanie sobie siebie w przyszłości, przyciąganie jutra. Jeśli wprowadzisz jutro do swojej teraźniejszości, dzień dzisiejszy znika, już go nie widzisz, twoje oczy przesłania mgła. Wpuszczając jutro, będziesz musiał nosić na sobie ładunek przeszłych dni, bo jutro karmi się tym, co było wczoraj.

Każde pragnienie jest zrodzone z przeszłych doświadczeń i rzutuje na przyszłość. Twój umysł składa się wyłącznie z wczoraj i z jutro. Przeanalizuj swój umysł, przyjrzyj mu się dokładnie; znajdziesz tylko dwie rzeczy: wczoraj i jutro. Nie ma tam nawet okruszyny dnia dzisiejszego, nawet jednego atomu. A teraźniejszość to przecież jedyna rzeczywistość, tylko ona istnieje, tańczy wokół nas.

Dzień dzisiejszy można odnaleźć jedynie, kiedy odstawimy umysł na bok. Wtedy ani przeszłość nie ma na ciebie żadnego wpływu, ani przyszłość nie może cię posiąść; jesteś odcięty od wspomnień i wyobrażeń. Gdzie w takiej chwili znajdujesz się ty? Kim jesteś? Jesteś nikim. A jeśli jesteś nikim, nikt nie może cię skrzywdzić. Nie możesz zostać zraniony, bo ego jest gotowe na odnoszenie ran; to dzięki nim istnieje. Jego cała egzystencja zależy od nieszczęść, od bólu.

Kiedy jesteś nikim, cierpienie staje się niemożliwe, niepokój jest po prostu nie do pomyślenia. Kiedy jesteś nikim, pojawia się wielka cisza, bezruch, żadnych hałasów wewnątrz. Przeszłość odeszła, przyszłość znika – cóż mogłoby hałasować? A cisza, która nastaje, jest boska, jest uświęcona. W tych stanach nie-umysł po raz pierwszy stajesz się świadomy odwiecznego świętowania, które trwa i trwa. To z niego złożona jest egzystencja.

Wszystko, co istnieje, z wyjątkiem człowieka, jest pełne błogości. Jedynie człowiek się z tego wyłamał, zbuntował. Tylko człowiek mógł tego dokonać, bo posiada świadomość.

Teraz tak: świadomość ma dwie możliwości. Może stać się jasnym światłem w tobie, tak jasnym, że nawet słońce wyda się przy nim blade… Budda mówi, że jeśli tysiąc słońc nagle wzeszłoby, a ty popatrzysz na nie w stanie nie-umysłu, wszystko to stanie się jednym światłem, wiecznym światłem. To wszystko jest radością, najczystszą, prawdziwą, nieskalaną. Jest po prostu błogością i niewinnością. Jest cudem. Ten majestat jest wprost nie do opisania, to piękno jest niewyrażalne, to błogosławieństwo zapiera dech w piersiach. *Aes dhammo sanantano* – oto najwyższe prawo.

Jeśli tylko udałoby ci się odłożyć umysł na bok, stałbyś się widzem w teatrze wszechświata. Wtedy byłbyś po prostu energią, a energia jest zawsze obecna, nigdy nie opuszcza teraźniejszości. To pierwsza możliwość – jeśli uda ci się przekształcić w czystą świadomość.

Druga możliwość polega na tym, że możesz stać się nieśmiałością. Wtedy przegrywasz. Stajesz się jednostką odizolowaną od świata. Jesteś jak wyspa, odgrodzona, ściśle określona. Dajesz się zamknąć, bo wszystkie definicje zamykają. Siedzisz w celi, a cela więzienna jest ciemna, bardzo ciemna. Nie ma światła, nie ma nawet nadziei na światło. I ta cela więzienna wykrzywia cię, paraliżuje.

Nieśmiałość staje się niewolą; jaźń jest więzieniem. A świadomość staje się wolnością.

Zostaw jaźń i stań się świadomy! Oto całe przesłanie zawierające mądrość właściwą wszystkim buddom: przeszłym, obecnym, przyszłym. A sedno tego przesłania jest bardzo proste: porzuć jaźń, ego, umysł; po prostu bądź.

I w chwili, kiedy taka cisza zawładnie tobą – kim się stajesz? Nikim, czymś nieukształtowanym. Nie masz imienia, nie masz kształtu. Nie jesteś ani kobietą, ani mężczyzną, ani hinduistą ani muzułmaninem. Nie należysz do żadnego kraju, narodu, rasy. Nie jesteś ciałem ani umysłem.

Czymże więc jesteś? W tej ciszy... jaki jest twój smak? Jaki jest smak bycia? Jedynie spokój, cisza... a z tego spokoju i ciszy zaczyna wypływać wielka radość, tryska w górę, bez żadnego powodu. To twoja spontaniczna natura.

Sztuka odstawiania umysłu na bok stanowi sekret religijności, ponieważ gdy go odstawisz, twoja istota wybucha tysiącem kolorów. Stajesz się tęczą, lotosem, lotosem o tysiącu płatków. Otwierasz się i całe piękno egzystencji, nieskończone piękno, staje się twoim udziałem. Wtedy masz w sobie rozgwieżdżone niebo. Wtedy nawet i niebo nie jest dla ciebie ograniczeniem; nie ma żadnych ograniczeń.

Cisza pozwala ci się roztopić, wtopić, zniknąć, wyparować. A kiedy cię nie ma, to właśnie, po raz pierwszy, jesteś. Kiedy ciebie nie ma, odnajduje się wszystko. Kiedy jesteś, wszystko się gubi.

Człowiek stał się nieśmiały; to zejście na manowce, to grzech pierworodny. Wszystkie religie w taki czy inny sposób mówią o grzechu pierworodnym, ale najjaśniej przedstawia to chrześcijaństwo. Grzech pierworodny polegał na tym, że człowiek zjadł jabłko z drzewa świadomości. Zjedzenie owocu wiedzy z tego drzewa tworzy samo-świadomość.

Im więcej wiedzy posiadasz, tym bardziej egoistycznym się stajesz... stąd ego mędrców, *pundits*, *maulvis*. Ego zostaje udekorowane rozległą wiedzą, pismami, systemami rozumowania. One jednak nie dają niewinności; nie przynoszą otwartości, zaufania, miłości, radości właściwych dzieciom. Kiedy stajesz się uczonym, twoja ufność, chęć do zabawy, ciekawość znikają.

A proces nauczania zmierza do tego, by dostarczyć nam jak najwięcej wiedzy. Nie naucza niewinności, nie naucza, jak odczuwać cud istnienia. Poznajemy nazwy kwiatów, ale nie uczymy się, jak wokół nich tańczyć. Poznajemy nazwy gór, ale nie wiemy, jak z nimi współistnieć, jak współistnieć z gwiazdami, z drzewami, jak współbrzmieć ze wszystkim, co istnieje.

Jak mógłbyś być szczęśliwy, pozostając w rozdźwięku? Jesteś skazany na udrękę, straszną nędzę i ból. Możesz być szczęśliwy, jedynie włączywszy się w taniec wszystkiego, co cię otacza; będąc częścią tańca, częścią wielkiej orkiestry; kiedy nie śpiewasz swojej pieśni w pojedynkę. Jedynie wtapiając się w to wszystko, człowiek może stać się wolnym.

Kiedy ktoś staje się mi bliski, odczuwam, że przestaję być sobą. Jak pozostać sobą?

Każdy pragnie stać się kimś wyjątkowym. To wysiłki ego: być kimś niezwykłym, kimś unikalnym, nieporównywalnym z nikim innym. A paradoks polega na tym, że im bardziej tego próbujesz, tym bardziej zwyczajnie wyglądasz; przecież wszyscy usiłują być kimś unikalnym. To takie pospolite dążenie! Gdybyś był zwyczajny, już sam fakt podejmowania prób bycia kimś zwyczajnym jest niezwykły; mało kto chce być nikim, mało kto chce być jak pusta przestrzeń.

Jest to więc, na pewien sposób, wyjątkowe, bo nikt tego nie chce. Stając się zwyczajnym, jednocześnie jesteś niezwykły i nagle dociera do ciebie, że nie musisz poszukiwać, bo już jesteś unikalny.

Tak naprawdę to wszyscy jesteśmy unikalni. Jeśli, choć przez chwile, przestaniesz uganiać się za swoimi celami, zdasz sobie sprawę z tego, że jesteś unikalny. Nie musisz tego odkrywać, to już w tobie jest. Taka jest prawda: być oznacza być unikalnym. Nie ma innego sposobu istnienia. Każdy liść na drzewie jest inny, każdy kamień na plaży jest inny; inaczej być nie może. Nie znajdziesz takich samych kamyczków nigdzie na całej ziemi.

Dwie podobne rzeczy nie istnieją, nie ma więc potrzeby starać się być kimś wyjątkowym. Bądź sobą, a nagle pojmiesz, jaki jesteś niezwykły, niepowtarzalny. Dlatego nazywam to paradoksem: ci, co szukają – nie znajdą; ci, którzy nawet nie usiłowali szukać – już to mają.

Dobrze mnie zrozum. Powtórzę: pragnienie, by stać się kimś wyjątkowym, jest bardzo zwyczajne, powszechne, każdy tego chce. Świadome pozostawanie kimś zwykłym jest wyjątkowe, ponieważ zdarza się bardzo rzadko; tacy byli Budda, Lao Cy, Jezus. Usiłowanie bycia kimś wyjątkowym tkwi w głowach wszystkich ludzi i dlatego marnie się kończy.

Jak mógłbyś stać się kimś jeszcze bardziej unikalnym, niż jesteś teraz? Niezwykłość już w tobie jest; zauważ ją. Nie musisz niczego wymyślać, już w tobie jest. Musisz ją wyciągnąć na światło dzienne, to wszystko. Nie potrzeba jej hodować. Jest twoim skarbem. Nosisz ją w sobie od zawsze. Jest sednem ciebie, stanowi rdzeń twojej Istoty. Musisz tylko zamknąć oczy i popatrzeć na samego siebie. Zatrzymaj się na chwilę, odetchnij i spójrz. Zamiast tego biegasz jak oszalały, tak ci spieszno to zdobyć, a przecież właśnie to przegapiasz.

Jeden z uczniów Lao Cy o imieniu Lieh Cy opowiedział historię o głupcu, który szukał ognia ze świecą w ręku. Lieh Cy powiedział: „Gdyby wiedział, co to jest ogień, mógłby szybciej ugotować swój ryż. A tak – był głodny aż do samego rana, bo szukając ognia ze świecą w ręku, nie mógł go znaleźć". Zresztą jak mógłby szukać po nocy bez świeczki?

Szukasz tego, co niepowtarzalne, a masz to w swych dłoniach. Gdybyś to rozumiał, już byś ugotował swój ryż. Ja już ugotowałem, więc wiem. Ty jesteś, zupełnie niepotrzebnie, głodny, bo ryż i zapaloną świeczkę masz tuż przed nosem; świeczka to ogień. Po co brać świeczkę i biegać z nią w poszukiwaniu ognia? Jeśli to robisz, nigdy nie znajdziesz ognia, bo przecież nawet nie wiesz, jak wygląda. Gdybyś wiedział, jak wygląda to, czego szukasz, zrozumiałbyś, że nosisz to przez cały czas w swoim ręku.

Czasem zdarza się to okularnikom. Mają okulary na nosie, ale zaczynają ich szukać. Być może im się spieszy i z tego powodu rozglądają się dokoła, nie zdając sobie sprawy, że okulary są założone. Wpadają w panikę. Być może i tobie się coś takiego przydarzało – poprzez sam fakt gorączkowego poszukiwania stajesz się taki zdenerwowany i tak się martwisz, że twój wzrok staje się zamglony, nie widzisz tego, co jest tuż przed tobą.

Tak właśnie jest w tym przypadku. Nie musisz szukać własnej wyjątkowości, po prostu taki jesteś. Nie ma sposobu na to, by uczynić coś jeszcze bardziej unikalnym. Słowa: „bardziej unikalny" są absurdem. To jak w przypadku koła. Koło jest kołem – nie ma koła, które mogłoby być „bardziej koliste". To bzdura. Koło jest zawsze doskonałe, bardziej być nie musi. Nie

ma różnych stopni kolistości. Koło jest kołem; słowa „mniej"
lub „bardziej" są tu bezużyteczne.

Wyjątkowość to wyjątkowość, „mniej" lub „bardziej" jej
nie dotyczy. Już jesteś wyjątkowy. Zdasz sobie z tego sprawę
dopiero, kiedy będziesz gotów stać się kimś zwyczajnym; na
tym polega ten paradoks. Jeżeli to rozumiesz, nie pojawia się
problem – jest paradoks, jest on piękny i nie ma problemu.
Paradoks to nie problem. Wydaje się być problemem, jeśli go
nie rozumiesz; jeśli zrozumiałeś – staje się czymś wspaniałym, zagadką.

Stań się zwyczajny, a będziesz niezwykły. Staraj się być
kimś wyjątkowym, a staniesz się kimś zwyczajnym.

*Co oznacza dawanie i co oznacza otrzymywanie? Teraz zro-
zumiałam, że mam jedynie bardzo mgliste pojęcie na ten temat. Otwierając się, czuję, jakbym umierała i automatycznie
włączają się we mnie wszystkie systemy alarmowe. Pomocy!
Egzystencja wydaje się tak przeogromna.*

Rozumiem, co cię tak przeraża. To samo przeraża prawie
wszystkich innych. Dobrze, że to rozpoznałaś, bo teraz można
będzie to zmienić. Nieszczęśni ci, którzy cierpią z tego samego
powodu, ale nie zdają sobie z niego sprawy; z powodu braku
świadomości nie będą w stanie niczego zmienić.

To, by się obnażyć, wymagało od ciebie odwagi. Jestem
z tego bardzo zadowolony. Chciałbym, aby wszyscy moi zwo-
lennicy, bez względu na to jak okropnym im się to wydaje, byli
wystarczająco odważni, aby się odsłonić.

Zakodowane mamy ukrywanie tego, co w nas brzydkie
i udawanie, że wszystko jest pięknie. To powoduje sytuację
schizofreniczną: pokazujesz siebie takim, jakim nie jesteś;

tłumisz w sobie tego kogoś, kim jesteś. Twoje życie to nieustanna wojna domowa. Walczysz przeciwko samemu sobie, a każda taka walka zmierza do zniszczenia ciebie. Nie będzie w niej zwycięzcy.

Jeśli moja prawa i lewa ręka zaczną ze sobą walczyć – myślisz, że którejś uda się wygrać? Mogę czasami doprowadzić do tego, że prawa ręka czuje się jak zwycięzca, a czasami, dla odmiany, pozwolę lewej ręce uważać, że wygrała. Ale tak naprawdę żadna nie jest zwycięzcą, obie są moimi rękami.

Niemal każda ludzka istota ma rozdwojenie osobowości. A, co najważniejsze, identyfikuje się z tą nieprawdziwą, odrzuca zaś prawdziwą. W takiej sytuacji nie ma nadziei na rozwój duchowy.

Ważne jest, aby dokładnie zrozumieć to, o czym mówi pytająca. Ona chce wiedzieć: co oznacza dawanie? Czy zastanowiliście się kiedyś nad tym, co to znaczy dawać? Myślicie, że już dajecie tak wiele: swoim dzieciom, żonie, swojej dziewczynie, społeczności, Klubowi Rotary, Klubowi Lwów… tak wiele dajecie. Ale, w rzeczywistości, nie wiecie, na czym polega dawanie.

Jeśli nie dajesz siebie, niczego nie dajesz.

Możesz dać komuś pieniądze, ale ty to nie pieniądze. Dopóki nie dajesz siebie – to znaczy, jeśli nie obdarzasz miłością – nie masz pojęcia, na czym polega dawanie.

„… a co oznacza otrzymywanie"? Niemal wszystkim wydaje się, że wiedzą, co to znaczy otrzymać. Ale osoba pytająca ma pełne prawo zadać to pytanie, odsłaniając jednocześnie fakt, że sama nie wie, co to znaczy otrzymywać. Tak samo jak w przypadku dawania – jeśli nie dajesz z miłością, nie będziesz wiedział, co znaczy dawać; jeśli nie potrafisz przyjąć miłości – nie wiesz, co oznacza otrzymywać. Chcesz być kochany, ale nie pomyślałeś o tym, czy jesteś zdolny do przyjęcia miłości? Jest tyle przeszkód, które mogą ci na to nie pozwolić.

Pierwsza jest taka, że nie masz szacunku do siebie; toteż gdy miłość się do ciebie zbliża, nie czujesz się wystarczająco godny, aby ją przyjąć. Jesteś tak poplątany, że nie dostrzegasz prostego faktu: nigdy nie akceptowałeś siebie takim, jakim jesteś naprawdę, nie kochałeś siebie samego... jakże mógłbyś umieć przyjąć czyjąś miłość? Czujesz, że nie jesteś jej wart, ale nie chcesz się z tym pogodzić i dostrzec, jaką bzdurą cię nakarmiono. Co robić? Po prostu odrzucasz miłość. A żeby móc to zrobić, potrzebujesz znaleźć sobie jakieś wymówki.

Pierwsza i najczęstsza wymówka jest taka: to nie jest miłość – właśnie dlatego nie mogę jej zaakceptować. Nie możesz uwierzyć, że ktoś chciałby cię pokochać. Jeśli nie kochasz sam siebie, nie widziałeś siebie, swojego piękna i wdzięku, i wspaniałości – jakże mógłbyś uwierzyć komuś, kto mówi: „Jesteś piękny. Masz taką wspaniałą, pełną czaru głębię w swych oczach. Czuję bicie twego serca, zharmonizowane z całym wszechświatem". Nie potrafisz w to uwierzyć, to przesada. Jesteś przyzwyczajony do bycia przeklętym, przywykłeś do wymierzanych ci kar, do bycia odrzuconym. Przyzwyczaiłeś się, że nikt nie akceptuje cię takim, jakim jesteś – toteż w takie rzeczy łatwo ci uwierzyć.

Miłość wywrze na ciebie ogromny wpływ, bo zanim będziesz w stanie ją przyjąć, potrzebna będzie wielka przemiana. Najpierw musisz zaakceptować siebie bez żadnego poczucia winy. Nie jesteś żadnym grzesznikiem, choć wmawiają ci to chrześcijanie i wyznawcy innych religii.

Nie dostrzegasz głupoty całej tej sprawy. Jakiś facet, Adam, dawno, dawno temu nie posłuchał Boga, co w końcu nie było aż takim przestępstwem. Wręcz odwrotnie, miał całkowitą rację, nie słuchając go. Jeśli ktoś tu zgrzeszył, to raczej Bóg, bo zakazał swojemu własnemu synowi, swojej córce jeść owoce z drzewa, owoce wiecznego życia. Co to za ojciec? Co to za Bóg? I jaka to miłość?

Miłość nakazywałaby Bogu, aby powiedział do Adama i Ewy: „Zanim spróbujecie czegokolwiek innego, zapamiętajcie te dwa drzewa. Jedzcie jak najwięcej owoców z drzewa wiadomości i jak najwięcej z drzewa nieśmiertelności, tak byście również mogli przebywać w tej nieśmiertelnej przestrzeni, w której przebywam ja". To powinno być oczywiste dla kogoś, kto kocha. Ale zakazując wiedzy, Bóg objawia to, że chce, aby Adam pozostał w niewiedzy. Może jest zazdrosny, może obawia się, że gdyby Adam stał się mądry, byłby mu równy? Chce trzymać Adama w niewiedzy, aby pozostał zależny. A jeśli zje owoc z drzewa nieśmiertelności – sam stanie się Bogiem.

Bóg, który powstrzymał Adama i Ewę, musiał być bardzo zazdrosny, strasznie nieprzyjemny, nieludzki, niekochający. A jeśli wszystkie powyższe cechy nie są grzechami, to czymże jest grzech? Lecz religie uczyły cię, czy jesteś żydem, chrześcijaninem, czy muzułmaninem, że nosisz grzech, który popełnił Adam. Musi być jakiś limit w ciągnięciu tych kłamstw. Nawet jeśli Adam rzeczywiście popełnił grzech, ty go nie nosisz. Zostałeś stworzony przez Boga, jak twierdzą te wszystkie religie, ale zamiast nosić w sobie boskość, nosisz nieposłuszeństwo Adama i Ewy?

To jest sposób Zachodu na potępienie ciebie – jesteś grzesznikiem. Wschód dochodzi do tej samej konkluzji, tyle że inną drogą. Mówią, że każdy jest obarczony grzechem pierworodnym i złymi uczynkami popełnionymi przez miliony poprzednich wcieleń. Tak naprawdę to ciężar noszony przez chrześcijan, żydów i muzułmanów jest o wiele lżejszy. Nosicie jedynie grzech popełniony przez Adama i Ewę. I chyba, przez te wszystkie stulecia on nieco zelżał. Nie jesteście bezpośrednimi spadkobiercami grzechu Adama i Ewy. Przeszedł on już przez miliony rąk, teraz jego właściwości są już zaledwie homeopatyczne.

Wschodni koncept jest dużo bardziej niebezpieczny. Nie nosisz cudzych grzechów... W końcu, jest to przecież niemożliwe. Twój ojciec popełnia przestępstwo, a ty idziesz do więzienia? Najzwyklejszy ludzki zdrowy rozsądek podpowiada, że jeśli ojciec popełnił grzech lub przestępstwo, to on musi być za to ukarany. Nie wysyła się syna albo wnuka na szubienicę dlatego, że dziadek popełnił morderstwo.

Lecz Wschodni koncept jest o wiele bardziej niebezpieczny i trujący: nosisz swoje własne grzechy, nie Adama i Ewy. I jest ich całe mnóstwo; popełniałeś je w każdym kolejnym życiu! Miałeś już przedtem miliony wcieleń, a w każdym z nich popełniałeś tak wiele grzechów. Kumulują się one w twojej piersi. Uciskają cię tak, jakby to były całe Himalaje; jesteś nimi przytłoczony.

To taka dziwna strategia zmierzająca do zniszczenia twojej godności, zniżenia cię do rangi podczłowieka. Jak mógłbyś kochać siebie? Możesz nienawidzić, ale nie kochać. Jak mógłbyś nawet pomyśleć, że ktoś jest w stanie pokochać ciebie? Lepiej to odrzucić, bo wcześniej czy później ta osoba, która deklaruje teraz miłość, odkryje prawdę o tobie – prawdę, która jest okropna: długi, długi pociąg grzechów. I wtedy ta osoba cię odrzuci. Aby uniknąć bycia odrzuconym, lepiej samemu od razu odrzucić tę miłość. Oto dlaczego ludzie nie akceptują miłości.

Pragną jej, oczekują, lecz kiedy nadchodzi i ktoś jest wreszcie gotów podarować ci miłość, ty się kurczysz. To kurczenie siedzi głęboko w psychice. Obawiasz się: to takie piękne – jak długo może trwać? Wcześniej czy później prawda o mnie wyjdzie na jaw. Lepiej zachować ostrożność już na samym początku.

Miłość oznacza być blisko, miłość to dwie osoby przybliżające się do siebie, miłość jest jedną duszą w dwóch ciałach.

Boisz się... – twoja dusza? Dusza grzesznika obarczona złymi uczynkami poprzednich milionów wcieleń? Nie, lepiej ją schować, lepiej nie narażać się na to, że ktoś, kto chciał cię pokochać, odrzuci cię. To strach przed odrzuceniem nie pozwala ci przyjąć miłości.

Nie możesz obdarzyć miłością, bo nikt ci wcześniej nie uzmysłowił, że z urodzenia jesteś istotą kochającą. Mówiono ci: „Urodziłeś się w grzechu!". Nie potrafisz kochać ani przyjąć czyjejś miłości. To ograniczyło twoje możliwości rozwoju.

Osoba zadająca pytanie mówi, że zrozumiała, iż dopiero zaczyna te sprawy wyczuwać. Ma ona wiele szczęścia, bo są całe miliony ludzi, które pozostają kompletnie zaślepione tym, co im wpojono, obarczone tym strasznym ciężarem, który narzuciło im starsze pokolenie. To tak mocno boli, że lepiej tego nie pamiętać. Ale zapominając, nie usuniesz tego.

Zapominając o tym, że masz raka, nie zoperujesz go. Nie rozpoznając go, trzymając w ukryciu, podejmujesz największe, niepotrzebne ryzyko na swoją szkodę. To będzie się rozrastać. Potrzebuje ciemności; potrzebuje twojej niewiedzy. Pokryje w końcu całą twoją postać. I to ty będziesz temu winien, nikt inny.

Jeśli więc odczuwasz jakieś przebłyski, otwiera się w tobie kilka nowych okienek.

„Otwierając się, czuję, jakbym umierała". Czy kiedyś o tym myślałaś? Otwarcie na przyjmowanie powoduje, że czujesz się jakbyś umierała – to prawda. Takie otwarcie się przypomina umieranie, bo wydaje się być upokarzające. Dostawanie czegoś, a zwłaszcza miłości, oznacza, że jesteś żebrakiem. Nikt nie chce być po stronie otrzymującego, bo to czyni gorszym od tego, który obdarowuje. „Otwierając się, czuję, jakbym umierała i automatycznie włączają się we mnie wszystkie systemy alarmowe".

Te systemy alarmowe zostały w tobie zainstalowane przez społeczeństwo, które zawsze poważałaś, przez ludzi, o których myślałaś, że ci dobrze życzą. I nie twierdzę, że celowo chcą cię skrzywdzić. Sami zostali skrzywdzeni i dalej przekazują to, co przejęli od swoich rodziców, nauczycieli, starszego pokolenia.

Każde pokolenie przekazuje swoje choroby nowemu i w naturalny sposób nowe pokolenie staje się coraz bardziej nimi obarczone. Odziedziczyłaś wszelkie przesądy, sposoby ograniczania istniejące od prawieków. Te alarmy nie należą do ciebie. Systemy alarmowe są uruchamiane przez to, co zostało ci narzucone. Jedyne, co masz uczynić, to usiłować znaleźć wytłumaczenie dla ich istnienia. To jest właśnie kolejne wielkie niebezpieczeństwo, z którego wszyscy musimy sobie zdać sprawę.

Nie usiłuj niczego usprawiedliwiać.

Dotrzyj do samych korzeni każdego problemu.

Jednak nie próbuj znaleźć wytłumaczenia, bo jeśli je znajdziesz, nie będziesz umiała usunąć tych korzeni.

Ostatnie zdanie tego pytania jest właśnie próbą wytłumaczenia. Może osoba pytająca nie była w stanie dostrzec jego ukrytego sensu. Mówi: „Pomocy! Egzystencja wydaje się tak przeogromna".

Teraz wydaje jej się, że boi się otrzymywać, ponieważ egzystencja jest taka przeogromna. Jaki sens ma dawanie twojej maleńkiej jak kropla deszczu miłości oceanowi? Ocean nawet tego nie zauważy; nie ma więc sensu dawanie i nie ma sensu otrzymywanie. Ponieważ ocean jest tak wielki, możesz się w nim utopić. I dlatego to przypomina śmierć. Ale to jedynie wymyślone przez ciebie wytłumaczenie.

Nic nie wiesz o egzystencji; nic nie wiesz o sobie – a przecież ty sam jesteś najlepiej ci znanym elementem egzystencji. Jeżeli nie zaczniesz od poznania siebie, nigdy nie poznasz egzystencji. Jesteś punktem wyjścia, wszystko musi zaczynać się od początku.

Poznawszy siebie, poznasz swoją egzystencję. A smak i zapach twojej egzystencji da ci odwagę do wniknięcia jeszcze głębiej – w egzystencję innych ludzi. Jeśli twoja dostarczyła ci tyle błogości… naturalnie będziesz pragnął wejść w inne otaczające cię tajemnice: sekrety ludzi, sekrety zwierząt, drzew i gwiazd.

A kiedy poznałeś swoją egzystencję, już nie obawiasz się śmierci.

Śmierć jest fikcją; nie istnieje, po prostu tak jest. To tak wygląda od zewnątrz. Czy widziałaś swoją śmierć? Jedyne, co widzimy, to śmierć innych. Ale czy kiedyś ktoś widział siebie umierającego? Nikt; wtedy bowiem nawet odrobina życia nie jest możliwa. Śmierć znasz jedynie z obserwowania innych; to nie ty umierasz.

Poeta, który napisał: „Nie pytaj, komu bije dzwon; on bije dla ciebie", posiadł głębsze zrozumienie niż ty. Zapewne był chrześcijaninem, bo to właśnie w ich wioskach biją dzwony, by poinformować ludzi pracujących na polu czy w sadzie lub gdziekolwiek indziej o czyjejś śmierci. Dzwon kościelny mówi im: ktoś zmarł. Niech zostawią to, co robią, i przyjdą na ostatnie pożegnanie.

Mówiąc: „Nie pytaj, komu bije dzwon; on bije dla ciebie", poeta wykazał głębokie zrozumienie.

Ale w twoim życiu dzwon nigdy nie bije dla ciebie. Któregoś dnia zadzwoni, ale ciebie już tu nie będzie, by go usłyszeć. Nigdy nie myślisz o sobie na progu śmierci – a każdy staje na tym progu. Zawsze widzisz cudzą śmierć – toteż jej doświadczanie jest obiektywne, nie subiektywne.

Ten ktoś nie umiera; tak naprawdę – zmienia po prostu dom. Jego siły życiowe zmieniają formę, przenoszą się w inny wymiar. Pozostaje jedynie pozbawione energii życiowej ciało. Ale ta energia nie należała do twojego ciała.

To tak, jakby zapalić świecę w ciemnym domu; cały dom jest oświetlony. Widać to nawet z zewnątrz, przez okna, przez drzwi. Jednak to światło nie jest organiczną częścią domu. Kiedy świeca się wypali, dom znów ogarnie ciemność. W rzeczywistości dom zawsze był ciemny, to świeca była jasnością.

Twoje ciało już jest martwe. To, co daje wrażenie, że jest ono żywe, to twoja siła życiowa, twoja jaźń promieniująca poprzez ciało, napełniająca ciało witalnością. Jedyne, co możesz dostrzec, kiedy człowiek umiera, to zniknięcie czegoś. Nie wiesz, dokąd to odeszło, czy w ogóle odeszło, czy też przestało istnieć. Toteż od strony zewnętrznej została stworzona fikcja zwana śmiercią.

Ci, którzy poznali siebie samych, wiedzą bez najmniejszych wątpliwości, że są istotami nieśmiertelnymi. Choć wielokrotnie umierali, ciągle żyją.

Śmierć i narodziny to jedynie krótkie epizody w odwiecznej pielgrzymce duszy. Strach przed śmiercią zniknie w tej samej chwili, w której nawiążesz kontakt z sobą samym. To otworzy całkowicie nowe niebo do poznawania. Kiedy pojmiesz, że śmierć nie istnieje, zniknie cały strach. Lęk przed tym, co nieznane, lęk przed ciemnością... każda forma lęku zniknie. Po raz pierwszy staniesz się prawdziwym podróżnikiem. Zaczniesz się przybliżać do wszystkich tajemnic, które cię otaczają.

Egzystencja stanie się po raz pierwszy twoim domem.

Nie ma się czego bać: jest twoją matką, jesteś jej częścią. Nie może cię utopić, nie może cię zniszczyć.

Im lepiej ją znasz, tym większą czujesz satysfakcję; im lepiej ją znasz, tym większe błogosławieństwo odczuwasz; im lepiej ją znasz, tym bardziej istniejesz. Wtedy możesz dawać miłość, bo ją masz. Możesz także przyjmować miłość, bo odrzucenie nie wchodzi w grę.

Twoje pytanie pomoże wszystkim. Dziękuję ci za nie, a także za odwagę w odsłonięciu siebie. Taka odwaga potrzebna jest wszystkim, bo bez niej nie ma możliwości dokonania zmian: świata – na lepszy, świadomości – na nową, twojej Istoty – na prawdziwą; a tędy prowadzi droga do najwyższej prawdy i błogosławieństwa.

Na czym tak naprawdę polega życie w bliskości?

Aby poznać egzystencję sam musisz być jej częścią. A nie jesteś, żyjesz myślami. Przebywasz w przeszłości, w przyszłości, ale nigdy tu i teraz. A egzystencja jest właśnie tu i teraz. Ciebie tu nie ma – stąd pytanie. Nie stykasz się z egzystencją – stąd pytanie. Wydaje ci się, że żyjesz, ale nie żyjesz. Wydaje ci się, że kochasz, ale nie kochasz. Myślisz o miłości, myślisz o życiu, myślisz o egzystencji – i właśnie to myślenie rodzi pytanie, jest przeszkodą. Porzuć wszystkie myśli i przekonaj się. Nie będzie żadnych pytań, jedynie odpowiedzi.

To właśnie dlatego z uporem powtarzam, że poszukiwanie nie jest po to, by znaleźć odpowiedź, nie po to, by wyjaśnić jakieś twoje wątpliwości. Nie. Poszukiwanie jest po to, aby móc odrzucić pytania, by umieć spojrzeć na życie, na egzystencję bez stawiania pytań. Oto znaczenie słowa *shraddha* – zaufanie. Przyjmowanie egzystencji poprzez umysł niestawiający żadnych pytań jest najgłębszym wymiarem *shraddha*, ufności.

Po prostu patrzysz. Nie wiesz, w jaki sposób patrzeć, nie szukasz żadnej formy, nie masz żadnych wymagań; patrzysz nagimi oczami, nieubranymi w żadne myśli, filozofie, religie.

Patrzysz na egzystencję oczami małego dziecka i nagle pojawia się tylko odpowiedź.

W egzystencji nie ma pytań. Pytania pochodzą od ciebie. I będzie ich coraz więcej, a ty możesz kolekcjonować odpowiedzi – ile tylko chcesz; te odpowiedzi ci nie pomogą. Do odpowiedzi trzeba samemu dotrzeć, lecz aby tego dokonać, musisz przestać wciąż pytać. Kiedy umysł nie jest zajęty zadawaniem pytań, pojawia się jasność widzenia, ostrość percepcji; drzwi do postrzegania są czyste i otwarte, a wszystko dokoła staje się nagle przejrzyste. Możesz dotrzeć do największych głębin. Gdziekolwiek skierujesz wzrok, możesz przeniknąć do najgłębszego rdzenia, a tam odnaleźć siebie.

Odnajdziesz siebie wszędzie. Odnajdziesz siebie w skale, jeśli twoje spojrzenie będzie dość głębokie. Wtedy patrzący, obserwator, staje się obserwowanym; widzący staje się tym, co widzi; wiedzący, staje się tym, co wie. Jeśli wystarczająco głęboko popatrzysz w skałę, w drzewo, w mężczyznę lub w kobietę, jeśli patrzysz głęboko, to spojrzenie zatacza koło. Zaczyna się od ciebie, przechodzi przez innych i wraca do ciebie. Wszystko jest tak przejrzyste. Nic nie stoi na przeszkodzie. Promień wypływa, staje się okręgiem i spoczywa znów na tobie.

Stąd wziął się największy sekret zawarty w Upaniszadach, zdanie: Tat Twamasi Swetaketu – „To jest tobą" lub „Ty jesteś tym". Okrąg się zamyka. Teraz wierzący jest jednością z Bogiem. Teraz poszukujący jest jednością z poszukiwanym. Teraz pytający sam staje się odpowiedzią.

W egzystencji nie zawierają się żadne pytania. Żyję w niej wystarczająco długo, a nadal nie napotkałem pytania, nawet jego najmniejszego śladu. Nią po prostu się żyje.

Wtedy życie posiada swe własne piękno. W umyśle nie rodzą się wątpliwości, nie otacza cię podejrzliwość, pytania przestają istnieć – nie jesteś podzielony, stanowisz całość.

Więcej informacji na:

www.OSHO.com

Jest to wszechstronna, wielojęzyczna strona internetowa zawierająca czasopisma, książki Osho, wykłady Osho w formatach audio i wideo, Biblioteka Osho – archiwum tekstów w języku angielskim i hindi i obszerne informacje o Medytacjach Osho. Znajdziesz tu również harmonogram programu Multiversity Osho i informacje o Międzynarodowym Ośrodku Medytacji Osho.

Strony internetowe:
http://OSHO.com/AllAboutOSHO
http://OSHO.com/magazine
http://OSHO.com/shop
http://www.youtube.com/OSHO
http://www.Twitter.com/OSHO
http://www.facebook.com/pages/OSHO.International

Kontakt do OSHO International Foundation:
www.osho.com/oshointernational
oshointernational@oshointernational.com

O autorze

Nauki Osho nie poddają się kategoryzacji. W tysiącach swoich wykładów poruszał on wszystkie tematy, począwszy od indywidualnego poszukiwania wartości aż po najpilniejsze problemy społeczne i polityczne, z którymi boryka się współczesne społeczeństwo. Osho nie pisał książek; zostały one stworzone dzięki dokonaniu transkrypcji z nagrań audio i wideo jego improwizowanych wykładów wygłaszanych przed słuchaczami z całego świata. Jak sam to ujął, „Pamiętajcie: wszystko o czym tu mówię, jest przeznaczone nie tylko dla Was... Mówię także dla przyszłych pokoleń". Osho został opisany przez londyński „The Sunday Times" jako jeden z „1000 twórców XX wieku", a przez amerykańskiego autora Toma Robbinsa jako „najbardziej niebezpieczny człowiek od czasów Jezusa Chrystusa". Gazeta „Sunday Mid-Day" (Indie) uznała Osho za jedną z dziesięciu osób – wraz z Gandhim, Nehru i Buddą – które zmieniły losy Indii. O własnej pracy Osho powiedział, że przyczynia się ona do stworzenia warunków dla narodzin nowego rodzaju człowieka. Często charakteryzuje tego nowego człowieka jako „Zorbę Buddę", który jest zdolny zarówno do czerpania przyjemności z ziemskich uciech – jak Grek Zorba – oraz do zachowania cichego spokoju – jak Gautama Budda. Przez wszystkie wykłady i medytacje Osho jak nić przeplata się wizja, która łączy ponadczasową mądrość wszystkich minionych wieków i najwyższy potencjał dzisiejszej (i jutrzejszej) nauki i technologii. Osho jest znany z rewolucyjnego wkładu w naukę wewnętrznej przemiany, z podejścia do medytacji, które uwzględnia szybkie tempo współczesnego życia. Jego unikalne Medytacje Aktywne zostały stworzone tak, by najpierw uwolnić nagromadzone naprężenia ciała i umysłu, dzięki czemu później łatwiej jest doświadczać ciszy i wolnej od myśli relaksacji w codziennym życiu.

Dwa utwory autobiograficzne autora:
Autobiography of a Spiritually Incorrect Mystic, wydanie polskie: *Autobiografia*, wydawnictwo KOS, Katowice 1976.
Glimpses of a Golden Childhood.

Międzynarodowy Ośrodek Medytacji Osho

Położenie: Położony 100 mil na południowy wschód od Bombaju w nowoczesnym, rozwijającym się mieście Puna w Indiach, Międzynarodowy Ośrodek Medytacji Osho jest wyjątkowym miejscem do spędzenia wakacji. Ośrodek Medytacyjny leży pośród 40 akrów spektakularnych ogrodów w pięknej, zadrzewionej dzielnicy mieszkalnej.

Wyjątkowość: Każdego roku ośrodek medytacji przyjmuje tysiące osób z ponad 100 krajów. Wyjątkowy kampus stwarza możliwość bezpośredniego, osobistego doświadczenia nowego sposobu życia – z większą świadomością, odprężeniem, celebrowaniem i kreatywnością. Dostępne są różnorodne całodobowe i całoroczne programy. Nicnierobienie i po prostu odprężenie się jest jednym z nich!

Wszystkie programy oparte są na wizji Osho „Zorby Buddy", który jest jakościowo nowym rodzajem człowieka, będącego w stanie zarówno twórczo uczestniczyć w życiu codziennym, jak i odprężać się w ciszy i medytacji.

Medytacje: Pełny harmonogram dzienny medytacji dla każdego zawiera metody, które są aktywne i pasywne, tradycyjne i rewolucyjne, w szczególności Medytacje Aktywne OSHO. Medytacje odbywają się w największej chyba na świecie sali do medytacji, Auditorium Osho.

Multiversity: Indywidualne sesje, kursy i warsztaty obejmują wszystko od zajęć plastycznych do holistycznego podejścia do zdrowia, osobistej transformacji, relacji i zmian życiowych, pracy jako medytacji, nauk ezoterycznych oraz podejścia do sportu i rekreacji zgodnie z zen. Tajemnica sukcesu Multiversity polega na tym, że wszystkie jego programy są połączone z medytacją, która pomaga zrozumieć, że jako ludzie jesteśmy czymś więcej niż sumą naszych części.

Basho Spa: Luksusowe Basho Spa zapewnia możliwość przyjemnego pływania na świeżym powietrzu w otoczeniu drzew i zieleni tropikalnej. Unikalnie urządzone, przestronne jacuzzi, sauny, siłownia, korty tenisowe... wszystko to znajduje się w oszałamiająco pięknym otoczeniu.

Kuchnia: Różne restauracje tematyczne serwują pyszne dania kuchni zachodniej, azjatyckiej i indyjskiej wegetariańskiej – większość żywności pochodzi z upraw ekologicznych w Ośrodku Medytacyjnym. Pieczywo i ciastka wypiekane są w hotelowej piekarni.

Życie nocne: Proponujemy wiele imprez wieczornych do wyboru – taniec jest najbardziej popularny! Inne działania obejmują medytacje pod gwiazdami przy pełni księżyca, pokazy, występy muzyczne i medytacje dla codziennego życia. Możesz też po prostu poznawać nowych ludzi w kawiarni Plaza, lub spacerować w nocnej ciszy po ogrodach tej baśniowej krainy.

Wyposażenie: Można kupić wszystkie potrzebne kosmetyki w Galerii. Galeria Multimedia sprzedaje szeroką gamę produktów medialnych Osho. Na terenie kampusu jest też bank, biuro podróży i Cyber Café. Tym, którzy lubią zakupy, Pune udostępnia wszelkie możliwości, począwszy od zakupu tradycyjnych i etnicznych indyjskich produktów aż po wszystkie produkty światowych marek.

Noclegi: Można wybrać pobyt w eleganckich pokojach w pensjonacie Osho lub, jeśli w grę wchodzi dłuższy pobyt, wykupić pakiet pobytowy. Ponadto w najbliższej okolicy znajduje się wiele hoteli i apartamentów z obsługą.

www.osho.com/meditationresort

POLECAMY

Kompleksowy i praktyczny
przewodnik po medytacji.

www.czarnaowca.pl